Edward W. WERZ

D1507522

MODÈLES
DE

lettres
qui vendent

PRÊTS
À
L'EMPLOI

Collection animée par Jean-Pierre LEHNISCH

Traduction autorisée de l'ouvrage *"Letters that sell"*, publié en américain par Contemporary Books, Inc.
Copyright © 1987 par Edward W. Werz.
Copyright © 1992 par F.D.S-TOP Éditions pour la traduction et l'adaptation française.
1re édition.

Couverture : Thierry Leveau

Traduction et adaptation française : Françoise Fauchet

Imprimé en France. Droit mondiaux réservés.

ISBN : 2-87731-049-3

TOP ÉDITIONS
DÉPARTEMENT ÉDITIONS DE F.D.S. SARL
121/127, avenue d'Italie, 75013 Paris

SOMMAIRE

INTRODUCTION

On peut considérer les lettres de marketing comme un moyen de vente très puissant. Les lettres de vente « marchent ». Elles répondent aux questions que se pose le client, elles piquent l'intérêt du client ciblé, transforment les demandes de renseignement en commande mais, plus que tout, font vendre. En fait, les quatre avantages spécifiques qu'elles présentent en font – sans nul doute – le moyen le plus efficace dont disposent les annonceurs.

Avant toute chose, la lettre de vente est personnalisée. C'est le seul support, en dehors du porte-à-porte et du télémarketing (plus coûteux), qui permet à l'annonceur d'entrer directement en contact avec sa cible sur un mode personnel. Les gens apprécient de recevoir du courrier personnel. En effet, une lettre peut être synonyme de bonnes nouvelles ou d'une opportunité particulière. La lettre transmet des messages personnalisés que le lecteur perçoit comme une prise en compte de sa seule et unique personne. Le message de vente est donc considéré comme une offre exclusive, intime et personnelle. Toute attention particulière flatte, et donne lieu à une réaction positive. Par nature, le mailing reçoit donc un accueil aussi ouvert que toute autre approche publicitaire.

Contrairement à la prise de contact par téléphone, souvent intimidante, la lettre ne place jamais la cible dans une situation pénible. Le lecteur est libre de la jeter s'il n'est pas intéressé. Cette liberté permet donc à la cible d'examiner l'offre qui lui est faite sans aucune contrainte.

De plus, le simple fait d'ouvrir ce type de courrier retient l'attention de la cible pendant au moins quelques secondes. L'annonceur tient là l'occasion exceptionnelle de mettre en avant un argument de vente pertinent, cohérent et profond, sans risque de se voir interrompu. La possibilité de contrôler l'attention exclusive de sa cible est une chose rare et riche d'avantages en matière de vente.

Dernier point important, mais non des moindres, le mailing permet d'atteindre le groupe-cible auquel le produit, ou le service à vendre, est véritablement destiné. La plupart des supports publicitaires, de la presse à la télévision en passant par les relations publiques, l'affichage ou la radio, fonctionnent sur le gavage forcé. Même si les annonceurs s'appuient sur les études démographiques, la plus grande partie du public touché n'a pas forcément besoin du produit ou du service proposé. Dans ce cas, le message et le budget consacré à la publicité représentent une perte sèche. Le mailing, en revanche, est *uniquement* adressé aux personnes qui sont susceptibles d'acheter, c'est-à-dire celles qui ont été précisément sélectionnées sur une liste. Si l'annonceur sait tirer parti d'une bonne liste de mailing, il n'encourt virtuellement aucun risque de perte.

Un mailing bien rédigé, mettant en valeur ces quatre traits particuliers, vous assurera de bien meilleurs résultats que la plupart des autres supports publicitaires. Si vous en faites déjà usage, ce livre vous permettra d'accroître vos performances. Si vous n'avez pas encore tenté l'expérience, vous apprendrez rapidement comment utiliser ce merveilleux outil.

COMMENT UTILISER CE MANUEL

Les lettres qui vendent présente un large éventail de modèles de mailing, permettant de faire face à la plupart des situations. S'il est vrai que vous pouvez reprendre la plupart de ces lettres à votre compte (en modifiant les informations le cas échéant), elles sont destinées avant tout à vous servir de guide. Avant de rédiger votre lettre, lisez attentivement l'introduction de la section qui vous intéresse. Choisissez ensuite le modèle qui correspond le mieux à votre situation et notez bien les conseils figurant à droite de la page. Ils vous indiquent l'enchaînement logique à respecter dans la présentation de votre offre. Vous trouverez parfois des suggestions en matière de stratégie. L'aspect pratique de la présentation choisie vous permettra de rédiger sans difficulté des lettres persuasives qui font vendre.

LES LETTRES QUI VENDENT : UNE SCIENCE ET UN ART

LA RÉDACTION D'UNE LETTRE : UNE SCIENCE

Un courrier efficace est un savant mélange de créativité et de rigueur scientifique. Pour obtenir les meilleurs résultats, il suffit de suivre un certain nombre de règles précises, élaborées et éprouvées depuis de longues années. Toutes les lettres que vous rédigerez ne fonctionneront pas, mais en suivant une approche scientifique, vous augmenterez vos chances de faire mouche.

La lettre de vente efficace comporte quatre éléments fondamentaux. Ceux-ci sont présentés dans un enchaînement logique destiné à amener la cible à envisager l'achat. Il faut donc :

1. Commencer par capter son attention.

2. Énoncer un besoin et y répondre, en présentant les avantages du produit ou du service.

3. Convaincre la cible à l'aide d'une offre spéciale, ou de la crédibilité et de la fiabilité du produit ou du service.

4. Enfin, demander de remplir le bon de commande ou d'accomplir une démarche.

CAPTER L'ATTENTION DE LA CIBLE

Si vous n'attirez pas l'attention de votre lecteur, votre lettre ne sera pas lue et il ne se passera rien. La plupart des lettres ne sont jamais lues ; elles partent au panier, sans autre forme de considération. Pourquoi ? Simplement parce que l'annonceur n'a pas conscience du fait que le destinataire décide de lire ou de ne pas lire son courrier dans les cinq premières secondes. Prenez un mailing, regardez-le, et comptez jusqu'à cinq. Même si vous ne pouvez pas vraiment en lire le contenu en si peu de temps, il vous laisse une impression. C'est cette impression qui va déterminer votre décision de poursuivre ou non la lecture. Qu'est-ce qui peut, en cinq secondes, décider la cible à lire un mailing ? Voyons les facteurs suivants :

- **L'appel.** Établit-il un lien ou un rapport avec le lecteur ? Si oui, il y a de fortes chances que la cible poursuive sa lecture.

- **Le titre ou la première phrase.** Est-il(elle) intéressante, intrigante, captivante, provocante, éclairante ou excitante pour le lecteur ? Une bonne entrée en matière est une invitation à la lecture.

- **La présentation.** S'agit-il d'un formulaire ou d'une lettre personnalisée ? La lettre a-t-elle une apparence inhabituelle, ou contient-elle une nouveauté ? Plus la présentation retient l'intérêt du destinataire, plus il est probable que ce dernier lise la lettre.

- **L'enveloppe et l'en-tête.** L'enveloppe est-elle timbrée ou préaffranchie ; l'adresse figure-t-elle sur une étiquette, ou directement sur l'enveloppe ? La lettre est-elle rédigée sur un papier de qualité, à en-tête soigné ? Plus le mailing a l'air personnel et professionnel, plus il recevra de considération.

Parmi ces quatre éléments, le plus important est le titre ou l'entrée en matière. Celle-ci doit attirer et retenir l'attention du lecteur. Si ce dernier n'est pas intrigué, il ne lira pas la lettre et vous ne vendrez pas votre produit.
Voici quelques exemples de phrases qui marchent :

- *Les phrases qui comportent un défi :* « Je vous défie de trouver … meilleur marché ! »

- *Les phrases qui posent une question :* « N'avez-vous jamais rêvé d'être propriétaire d'une résidence secondaire ? »

- *Les phrases qui établissent un lien personnel :* « Permettez-moi de vous raconter la plus grande erreur qu'il m'ait jamais été donné de commettre. »

- *Les phrases comportant une offre :* « Achetez deux … pour le prix d'un. »

- *Les phrases promettant quelque chose de gratuit :* « Je vous adresse ci-joint un stylo GRATUIT gravé à votre nom, afin de vous démontrer la forte impression que vous pouvez faire avec une publicité peu onéreuse et moins banale. »

- *Les phrases qui donnent de l'importance au lecteur :* « Vous avez été sélectionné(e) parmi des centaines d'autres personnes pour… »

- *Les phrases présentant quelque chose de nouveau ou de différent :* « Voici le premier ordinateur personnel qui parle ! »

La première impression est celle qui compte vraiment en matière de mailing. L'annonceur doit consacrer autant de temps à s'assurer que son mailing va réussir l'épreuve des cinq secondes qu'il en consacre à la rédaction du reste de la lettre.

Énoncer un besoin et y répondre

Pourquoi les gens achètent-ils ? La motivation, y compris en ce qui concerne l'achat, repose sur la satisfaction de besoins fondamentaux. A notre naissance, nos besoins sont des plus primaires. Nous avons besoin de manger, de boire, d'avoir chaud, d'être propres et stimulés. C'est une question de *survie*. Nos agissements nous sont dictés par l'instinct de rester en vie, tel l'enfant qui pleure lorsqu'il a faim. En grandissant, si notre comportement reste lié à ce besoin fondamental de survie, il devient néanmoins plus complexe. Il se peut, par exemple, que nous amplifions notre besoin de chaleur par le désir de posséder un appartement en duplex, et celui de la stimulation par le besoin d'une relation significative. En tant qu'adultes, nous n'achetons plus seulement pour satisfaire nos besoins fondamentaux, mais pour de multiples raisons :

- par fierté
- pour gagner de l'argent
- pour faire des économies
- pour le confort
- pour réduire le travail
- pour gagner du temps
- pour le prestige
- pour la santé
- pour éviter la douleur
- pour les éloges
- pour la gloire
- pour séduire un partenaire
- pour le plaisir
- pour être reconnu
- pour vivre plus longtemps
- pour éviter l'embarras
- pour éviter les problèmes
- pour profiter des opportunités
- pour protéger sa réputation
- pour affirmer sa personnalité
- pour éviter les critiques

- pour la sécurité
- pour stimuler les autres
- pour satisfaire un appétit
- pour le plaisir de posséder
- pour se faire accepter
- pour protéger ses proches
- pour satisfaire à sa curiosité
- pour avoir l'air jeune et beau
- pour bien vivre sa sexualité

Énoncez immédiatement le besoin, pour le produit ou le service que vous proposez, après avoir attiré l'attention de votre lecteur. Apportez ensuite la réponse à ce besoin, en mettant en lumière les avantages que présente le produit ou le service. Voici quelques exemples :

Le besoin : **paraître plus jeune.**

Identification du besoin : la plupart des Français veulent perdre du poids. Non seulement les kilos en trop nous rendent mal à l'aise, mais en plus ils nous font paraître plus vieux ! Vous vous en êtes aperçus maintes fois. Dès qu'une personne perd du poids, elle semble avoir rajeuni.

Réponse au besoin : le régime CONTRELESKILOSENTROP vous permet de perdre du poids rapidement et en toute sécurité. En une semaine seulement, vous paraîtrez et vous vous sentirez rajeuni.

Le besoin : **protéger votre famille.**

Identification du besoin : l'incendie d'une maison est beaucoup plus meurtrier que toute autre forme d'accident domestique. La principale cause de ces morts dramatiques étant due à l'asphyxie par la fumée.

Réponse au besoin : vous pouvez protéger votre famille contre le risque d'asphyxie grâce au Système d'Alarme Fumigène. Sa sirène stridente vous alertera à la moindre trace de fumée. Même si vous êtes surpris pendant votre sommeil, vous serez réveillé à temps pour échapper au danger.

Le besoin : **réduire le travail.**

Identification du besoin : vous arrive-t-il après une dure journée de labeur de rentrer à la maison avec la sensation de n'avoir rien fait ? Il n'y a rien de plus déconcertant que la sensation de se laisser déborder.

Réponse au besoin : désormais vous pourrez faire plus sans effort supplémentaire ! Comment ? En découvrant les trois principes pratiques de gestion du temps qui sont décrits dans l'indispensable brochure *Temps et Travail* que nous tenons aujourd'hui à votre disposition pour un tarif préférentiel.

Les services commerciaux proposent fréquemment le même produit à un même client. C'est par exemple le cas des entreprises de cosmétiques qui vendent une ligne de produits bien établie à un grand magasin ; ou des confiseurs qui fournissent une sorte de bonbons très populaires à leurs distributeurs. Le mailing ayant déjà traité le besoin, il s'agit alors de mettre en avant de nouveaux arguments de vente. En voici quelques exemples :

- faire valoir le succès des ventes du produit ;
- mentionner que les statistiques du marché indiquent la préférence et la satisfaction des clients à l'égard du produit ;
- décrire une nouvelle promotion : publicité sur le lieu de vente ou nouvel emballage qui devrait accroître les ventes ;
- utiliser des messages originaux, destinés à avantager le client.

Convaincre la cible

La lettre a retenu l'attention du destinataire, identifié un besoin humain et présenté les avantages du produit ou du service permettant d'y répondre. Maintenant, il s'agit de persuader le lecteur d'acheter.

Pour ce faire, soit vous avez recours à une offre spéciale, soit vous dissipez ses doutes en lui apportant la preuve de votre qualité. Les offres spéciales peuvent porter sur :

- *Le prix* – moitié prix ; deux pour le prix d'un ; x pourcent de réduction ; prix de lancement ; liquidation totale ; déduisez 20 % de votre facture ; remise de ... Francs, etc.
- *Essai* – offre d'essai gratuit ; 30 jours d'essai sans engagement de votre part ; essai sans obligation d'achat ; abonnement à l'essai ; consultation gratuite, etc.
- *Gratuit* – échantillon gratuit ; une recharge gratuite si vous achetez ... ; cadeau gratuit ; demandez une information gratuite ; en bonus ; ... gratuit ; passez votre commande maintenant et recevez un ... gratuit, etc.
- *Garantie* – garantie totale ; remboursement garanti ; garantie d'un an ; garantie d'un mois sans obligation ; satisfait ou remboursé, etc.

Le meilleur moyen de dissiper les doutes à l'égard de l'entreprise, du produit ou du service, est de mentionner la preuve de sa fiabilité. Les plus efficaces sont les témoignages de tierces personnes. Cela peut aller des lettres de satisfaction aux lettres de témoignages, en passant par la citation de consommateurs, de critiques dans les publications de consommateurs, de récompenses gagnées, d'évaluations, de statistiques, ou tout autre support objectif. Il peut être également très convainquant de proposer de fournir les numéros de téléphone des clients satisfaits.

Parfois, vous pouvez avoir des informations utiles pour la cible, sans qu'elles soient pour autant destinées à l'inciter à l'achat. En lui proposant ces informations (soit dans la lettre, soit en pièce jointe), vous indiquez clairement à votre cible l'intérêt que vous portez à ses besoins. Ce petit *plus* vous permet de communiquer le professionnalisme de votre entreprise, et de projeter une image crédible et fiable. Ainsi, vous êtes assuré que vos prochains mailings seront lus et sérieusement pris en considération.

Demander de remplir le bon de commande

Le dernier élément du mailing est simple, clair et direct : vous demandez que l'on vous passe commande. Si la cible ne commande pas immédiatement, il est probable qu'elle ne le fasse jamais. C'est pourquoi vous devez *rester simple*. Évitez les instructions ou les explications longues et compliquées. Dites plutôt au lecteur ce qu'il doit faire, en une ou deux phrases courtes. A chaque fois que c'est possible, incitez votre lecteur à agir sur le champ. Voici quelques exemples :

- « Retournez la carte-réponse dès aujourd'hui pour bénéficier de cette offre spéciale valable 10 jours seulement. »

- « Nous vous réservons un ... pendant 30 jours seulement, dans la limite des stocks disponibles. Faites vite, appelez le numéro vert et passer votre commande ! »

- « Pour recevoir, sans obligation d'achat, notre information gratuite, envoyez votre carte-réponse préaffranchie dès maintenant ! »

Le P.-S.

Le post-scriptum peut renforcer cette demande. Les études montrent en effet que le P.-S. est fréquemment lu en premier. Si ce n'est pas la première chose, en tous cas c'est la dernière à être lue. De toutes façons, le P.-S. joue un rôle important. Si le mailing comporte un argument fort, reposant sur une seule caractéristique du produit ou une offre unique, il est souvent conseillé d'exposer un nouvel élément d'incitation à cet endroit. Si, au contraire, la lettre présente de nombreux arguments, le P.-S. permet de souligner le plus convainquant. N'utilisez, cependant, le P.-S. que si vous avez vraiment quelque chose de nouveau à ajouter, qu'il s'agisse d'un aspect du produit, d'une offre ou d'un moyen d'étayer votre principal argument de vente.

Une fois maîtrisés ces principes fondamentaux, la rédaction du mailing n'aura plus de secret pour vous. Ce système deviendra pour vous comme une seconde nature, et vous aurez alors suffisamment d'assurance pour contrevenir de temps à autre à la règle. Vous penserez systématiquement à vos objectifs commerciaux et trouverez la solution pour les faire coïncider avec les besoins de vos clients ou de vos cibles.

LA LETTRE DE VENTE : UN ART

La rédaction d'un mailing efficace relève autant de l'art que de la science, car les lettres vraiment bonnes dépassent l'ordinaire. Le message doit être véritablement créatif pour capter l'intérêt du lecteur, le retenir, et provoquer un désir profond pour le produit ou le service proposé. Être créatif dans la rédaction d'une lettre est à la portée de tout le monde, même si beaucoup se bloquent à cette simple idée. Voici quelques suggestions qui vous permettront de vous mettre à l'écoute de l'aspect créatif de votre personnalité :

- **Pensez à vous comme à un être créatif.** Vous libérerez ainsi votre imagination.

- **Évitez de vous censurer vous même.** Donnez libre cours à vos idées sans porter de jugement. Notez-les au fur et à mesure qu'elles vous viennent à l'esprit. Essayez de générer le plus d'idées nouvelles possible. Même si l'une d'entre elles n'est pas originale, notez-la. Souvent, la combinaison de deux, trois ou plus de ces idées banales peut donner naissance à un concept nouveau.

- **Concentrez-vous bien sur le problème ou la situation.** Pensez-y le plus souvent possible et à n'importe quel moment : au volant, à la sortie du cinéma, dans une librairie, n'importe où. Le fait d'envisager le problème dans de nombreux environnements différents vous permettra d'accroître la diversité des informations sensorielles que vous percevez. Cette stimulation peut déboucher sur de nouvelles idées ou de nouvelles rencontres.

- **Constituez-vous un dossier,** dans lequel vous rassemblerez les publicités découpées dans les magazines, les catalogues, les prospectus, et les mailings qui vous semblent intéressants, que ceux-ci aient ou non un rapport avec votre projet. Consultez votre dossier tout en réfléchissant au problème. Les idées commenceront à affluer.

- **Faites une étude de marché informelle.** Présentez votre projet à vos amis et à vos associés, et demandez-leur quels sont les aspects qui les intéressent. Cherchez surtout à savoir quelles impressions ils en retirent au plan émotionnel.

- Lorsqu'en dépit de vos efforts, vous vous retrouvez dans l'impasse, **prenez du recul.** Allez faire un tour de jogging ou une partie de tennis, partez quelques jours en congé, allez vous mettre au vert ; bref, détendez-vous. Oubliez le problème. Les solutions ou les idées les plus créatives surgissent souvent dans les moments de totale décontraction.

C'est votre originalité et votre vision personnelle qui vous permettront de vous distinguer dans l'art de rédiger une lettre. Nous possédons tous un talent créatif. Pour le mettre à profit, il suffit d'être détendu, réceptif, confiant et enthousiaste. Dites-vous que vous en êtes capable... et vous en serez capable !

AUTRES PRÉOCCUPATIONS INTÉRESSANT LE RÉDACTEUR

UN MOT À PROPOS DE L'HONNÊTETÉ

Pour fonctionner, une lettre doit convaincre le lecteur de la crédibilité de l'offre qu'elle présente. Le moindre doute quant à la sincérité du rédacteur anéantit tout espoir de vente. L'erreur la plus fréquente consiste à exagérer les avantages. La franchise et l'honnêteté sont souvent plus payantes que l'excès de zèle. Soyez donc sincère dans la présentation de votre produit ou service. Vous serez perçu comme quelqu'un d'honnête, et vos lettres gagneront en efficacité.

LE STYLE

De par son caractère personnel, la lettre de vente autorise un style plus familier que les autres types de correspondance commerciale. Chaque situation doit être néanmoins évaluée en toute objectivité. Vous pouvez vous adresser sans cérémonie à un client de longue date avec lequel vous entretenez des relations plus personnelles. En revanche, si vous n'avez encore jamais eu affaire avec la personne de l'entreprise que vous contactez, il vous faudra user des formalités d'usage.

Bon nombre des modèles présentés dans cet ouvrage sont rédigés dans un style simple et sans façon, proche de celui de la conversation.

La plupart des lettres se terminent par la formule de politesse standard « Je vous prie d'agréer, Monsieur, mes salutations distinguées ». Pour une correspondance plus amicale ou plus intime, il est cependant préférable d'employer une formule simplifiée telle que « Cordialement ». La correspondance commerciale a, de plus en plus souvent, recours aux formules simplifiées. N'hésitez pas à les employer en prenant garde, toutefois, à la personne à laquelle vous vous adressez.

LE TRUC EN PLUS POUR RÉDIGER UNE LETTRE QUI FAIT VENDRE

- Écrire des **phrases courtes et sans détours.**
- Les **petits paragraphes** sont les plus attrayants. Ils permettent de retenir l'attention du lecteur.

- Employer des **termes plutôt affectifs qu'abstraits.** Remplacer, par exemple, le mot *plaisant* par *sympathique.*

- **Souligner** les mots et les phrases importantes.

- Utiliser les LETTRES MAJUSCULES, le **style gras** ou l'*italique* pour les titres et les mots importants, tels que *gratuit, maintenant, limité* et *nouveau.*

- **Expliquer la raison d'être de la lettre,** dans le premier ou le second paragraphe.

- **Éviter l'humour** à moins d'être certain de n'offenser personne.

- Mettre certains **paragraphes en retrait** afin de les faire ressortir. Ceci concerne surtout les offres spéciales et les arguments de vente importants.

- Essayer de s'en tenir à **un seul argument de vente** principal, afin d'éviter les risques de confusion.

- **Utiliser des puces (•) ou des astérisques (*)** pour attirer l'attention sur les éléments particuliers.

- **Répéter au moins deux fois l'élément-clé de l'argument.** Une formulation différente permet d'assurer une meilleure compréhension.

- Avant d'avoir recours à l'originalité pour attirer l'attention (papier de couleur, par exemple), **réfléchissez à l'image que vous souhaitez donner de vous.**

Voici deux exemples de mailing.

L'un est rédigé dans un style pauvre, ignorant les principes mêmes d'une rédaction frappante. Bien que le but recherché par cette lettre soit justement de manquer de pertinence, il est surprenant de voir à quel point celle-ci ressemble à la plupart des mailings que vous recevez couramment.

Le second exemple, en revanche, illustre parfaitement l'art et la science des lettres percutantes. L'entrée en matière accroche bien le lecteur et l'intrigue. Le besoin est identifié, et les avantages du produit y apportent la réponse. Le tarif intéressant et l'absence de risque suggérés poussent le lecteur à réagir ; finalement, ce dernier est appelé à passer sa commande en suivant les instructions données. La différence du pouvoir de conviction de ces deux modèles est spectaculaire.

EXEMPLE A NE PAS SUIVRE

> Cher riverain,

> Nous vous écrivons pour vous parler de la Compagnie LES MUTUELLES DE LA VIE et de ses services.

> LES MUTUELLES DE LA VIE ont été fondées en 1902 par Georges Lambert. Notre compagnie s'est développée régulièrement pour devenir aujourd'hui la troisième compagnie d'assurance du Nord. Notre chiffre d'affaires dépasse le million de francs. En fait, un propriétaire du Nord sur trois détient une police des MUTUELLES DE LA VIE.

> LES MUTUELLES DE LA VIE proposent une gamme complète de produits et de services financiers. Nous savons que l'un d'entre eux répond à vos besoins en assurance.

> Mais, pour trouver le produit idéal pour vous, nous avons besoin de votre aide. C'est pourquoi nous vous demandons de bien vouloir remplir le bref questionnaire ci-joint et de le retourner aux MUTUELLES DE LA VIE.

> Nous vous contacterons pour vous donner de plus amples informations et vous apporter notre conseil. Dans l'attente de notre prochaine rencontre, veuillez agréer, Monsieur, nos salutations distinguées.

1> L'appel est impersonnel.

2> Aucune mention ni d'un besoin, ni d'un avantage.

3> Le lecteur ne s'intéresse probablement pas à l'historique de la compagnie.

4> Le message n'est pas suffisamment spécifique. Il faut décrire et mettre en avant l'un des produits.

5> Le lecteur est appelé à agir, sans contrepartie évidente de l'avantage qu'il peut en tirer. C'est demander l'impossible.

6> Formulation à nouveau trop vague. Comment, quand, et à propos de quoi le lecteur va-t-il être contacté ?

EXEMPLE A SUIVRE

1 Cher Monsieur X,

2 <u>Vous arrive-t-il jamais de perdre le sommeil à cause de votre inquiétude sur l'avenir de votre famille ?</u>

3 Vous pourriez dormir tranquille ce soir si vous saviez que vos proches sont couverts par la police d'assurance sur emprunt des Mutuelles de la Vie.

4 Avec cette police, votre emprunt est immédiatement remboursé en cas de décès. L'avenir de votre famille est ainsi assuré.

5 Aujourd'hui, compte tenu du coût élevé de l'accès à la propriété, l'assurance sur l'emprunt est une nécessité. En effet, trop de familles se voient – au moment de la perte d'un être cher – dans l'obligation de renoncer à la demeure qu'ils aiment.

6 <u>Contracter une assurance sur l'emprunt, c'est faire preuve de responsabilité à l'égard des siens.</u>

7 Découvrez dès aujourd'hui le faible prix à payer pour cette indispensable protection. Je vous adresse ci-joint un bref formulaire de demande à remplir. Il vous en coûtera seulement cinq minutes de votre temps, sans aucune autre obligation. Dès réception de votre courrier, je vous communiquerai par téléphone le montant très, très peu élevé des primes des Mutuelles de la Vie.

8 Votre prise en charge peut être effective dans un délai de sept jours. Alors n'attendez pas, plus tôt vous posterez votre formulaire, plus tôt votre famille bénéficiera de cette garantie.

Veuillez agréer, Monsieur ..., l'assurance de nos sentiments les meilleurs.

9 P.-S. N'oubliez pas : si vous nous retournez le formulaire aujourd'hui, vous dormirez mieux cette nuit !

---

1 *L'utilisation du nom du lecteur ajoute une note personnelle.*

2 *La question intrigante capte l'attention du lecteur.*

3 *Le produit est immédiatement présenté comme la solution au problème, ou la réponse au besoin du lecteur.*

4 *L'explication concernant le produit est directe et concise. Elle souligne l'aspect affectif du bénéfice possible.*

5 *Le problème est amplifié afin de provoquer un désir.*

6 *Le lien entre le produit et les sentiments du lecteur est établi.*

7 *Le lecteur sait exactement ce qu'il doit faire.*

8 *On souligne l'avantage d'agir rapidement.*

9 *Le post-scriptum rappelle au lecteur qu'une action immédiate lui apportera la tranquillité d'esprit.*

I. Lettres de vente directe

Une bonne lettre de vente incite le lecteur à réagir. Cette réaction peut consister à passer une commande, à répondre à une enquête, à demander une brochure, à accepter un abonnement à titre d'essai, à se rendre dans un magasin, ou tout un éventail d'autres actions conduisant finalement à une vente.

Le succès du mailing de vente repose sur quatre règles scientifiques.
Premièrement, attirer l'attention du lecteur dès l'appel.
Deuxièmement, identifier un besoin et y répondre en décrivant le produit et ses avantages.
Troisièmement, convaincre le lecteur par une offre spéciale ou la démonstration de la crédibilité du produit.
Quatrièmement, amener ce dernier à passer sa commande ou à se mobiliser d'une quelconque manière.

Regardons plus précisément le second principe. C'est probablement à cette étape cruciale que sont commises les erreurs de rédaction les plus fréquentes. Il ne faut pas se concentrer sur la description du produit ou du service, mais sur les avantages qu'il présente. En effet, la seule description du produit ne répond ni aux besoins ni aux problèmes de la cible. Si, par exemple, vous souffrez de maux de dents, ce qui vous intéresse est de savoir que le dentiste va vous soulager rapidement et sans douleur et non pas de connaître le nom du fabricant de son matériel.

Voici quelques exemples illustrant le manque d'efficacité de la description d'un produit et, au contraire, l'efficacité de la mise en avant de ses avantages. Notez la différence.

Description du produit : ce short de sport est 100 % nylon.
Description de ses avantages : ce short de sport 100 % nylon sèche très rapidement lorsque vous transpirez.

Description du produit : ce shampoing est présenté dans une bouteille en plastique très pratique.
Description de ses avantages : l'emballage plastique de ce shampoing est particulièrement pratique car, même s'il vous échappe dans la douche, la bouteille ne se casse pas. Il est d'une parfaite sécurité, y compris pour les enfants.

Description du produit : la cartouche spéciale de ce stylo vous permet d'écrire en trois couleurs différentes.
Description de ses avantages : la cartouche spéciale de ce stylo vous permettant d'écrire en trois couleurs différentes, vous évite de changer plusieurs fois de stylo pour la mise en valeur de vos travaux. Un gain de temps et d'énergie !

Description du produit : tous nos modèles sont fournis avec un toit ouvrant.

Description de ses avantages : tous nos modèles sont fournis avec un toit ouvrant : vous découvrirez les joies et la liberté d'une décapotable, tout en bénéficiant de l'entière sécurité d'une non-décapotable.

Description du produit : nous sommes ouverts 24 heures sur 24.

Description de ses avantages : vous pouvez venir déguster à toute heure nos petits déjeuners, déjeuners, dîners ou simples snacks. Nous sommes ouverts 24 heures sur 24 : à toute heure du jour ou de la nuit, nous sommes là pour vous servir.

1 VENTE D'UN PRODUIT A UN PARTICULIER

1▷ Chère Madame, cher Monsieur, vous qui souffrez du dos,

2▷ Finies les affres terribles et l'inconfort provoqués par les douleurs dorsales.

3▷ Des milliers de personnes, qui souffraient comme vous, ont vu s'envoler leurs peines grâce à Super-Matelas, le matelas pneumatique à prix record, scientifiquement conçu pour les personnes qui ont des problèmes de dos.

4▷ Le mauvais soutien des couchages ordinaires peut provoquer ou aggraver les contractions musculaires du dos. C'est pourquoi tant de gens se réveillent le matin en ayant mal au dos.

5▷ Super-Matelas est un matelas gonflable, équipé de cellules internes spécialement étudiées pour s'adapter en douceur à votre corps, tout en lui apportant un ferme soutien. Super-Matelas épouse votre silhouette à chaque mouvement. Avec Super-Matelas, vous dormirez confortablement et vous vous réveillerez sans douleurs pour attaquer la journée avec énergie.

6▷ Super-Matelas en vaudrait la peine, même s'il coûtait 2 000 F. Mais son prix n'est ni de 2 000 F, ni de 1 500 F, ni même de 1 000 F. Vous pouvez vous offrir un Super-Matelas pour la modique somme de 899 F ! Et c'est le prix d'un matelas pour deux personnes.

1▷ L'appel identifie le lecteur. (Notez ici la compassion accordée au lecteur).

2▷ L'attention du lecteur est attirée par l'introduction d'un besoin important.

3▷ Montrez comment votre produit répond au besoin.

4▷ Faites autorité en mentionnant des faits auxquels le lecteur s'identifiera.

5▷ Expliquez comment vos produits apportent la solution que vous promettez.

6▷ Soulignez l'avantage du prix peu élevé.

> Composé d'un solide vinyle, Super-Matelas est imperméable et se gonfle en quelques instants à l'aide d'un simple sèche-cheveux. De plus, il est aussi confortable à même le sol que sur un sommier à ressorts.

> Super-Matelas vous est gratuitement offert à l'essai pendant 10 jours. Il vous suffit d'appeler notre numéro vert ou de nous retourner la carte-réponse dès aujourd'hui. Si vous n'étiez pas totalement satisfait, renvoyez le Super-Matelas et il ne vous en coûtera rien. Si, au contraire, vous trouvez que Super-Matelas correspond à tout ce que nous vous en avons dit, et que vous décidez de le garder, vous recevrez une facture de 899 F seulement.

> Un tel soulagement pour 899 F seulement... c'est incroyable, non ! N'attendez pas. Commandez votre Super-Matelas maintenant, avant que le stock ne disparaisse.

Veuillez agréer...

2 ▶ VENTE D'UN PRODUIT A UNE ENTREPRISE

1▷ Cher Cadre débordé,

<u>Passez-vous trop de votre temps précieux à mainte-nir votre planning à jour ?</u>

2▷ Il vous est désormais possible d'organiser et de réor-ganiser votre planning à la seconde, grâce à un outil ingénieux déjà utilisé par des milliers d'autres cadres performants.

3▷ Le Planning Magnétique s'accroche au mur de votre bureau comme un tableau et vous permet de visua-liser en un clin d'œil la totalité du déroulement des opérations. Qui mieux est, vous pouvez apporter toute modification nécessaire en quelques secon-des, par simple déplacement des aimants. Votre planning est sans cesse à jour et vous contrôlez en permanence jusqu'à la plus chaotique des missions dont vous êtes chargé.

4▷ En outre, le Planning Magnétique vous apporte une aide précieuse :

- il vous permet de communiquer avec votre équipe, car toutes les informations sont claire-ment visibles ;

- il vous permet de coordonner et de planifier plu-sieurs projets en même temps ;

- il vous facilite la tâche pour fixer et réaliser vos objectifs ;

- il vous assiste dans la détermination des priorités et l'organisation du travail.

> Parce que nous sommes certains que le Planning Magnétique correspond exactement à ce dont vous avez besoin pour gagner un temps précieux, nous aimerions vous faire profiter de notre offre spéciale.

> Nous allons vous faire parvenir l'un de nos modèles les plus appréciés, accompagné de tous les aimants et papiers de couleur nécessaires, GRATUITEMENT pendant 30 jours. Essayez-le. Si vous décidez qu'il vous est aussi utile que nous le pensons, vous ne paierez que 399 F. Ceci représente une réduction de 150 F par rapport au prix normal. Si toutefois vous décidiez de ne pas le garder, il vous suffit de nous le renvoyer. Il ne vous sera rien demandé.

> N'attendez pas. Vous disposez de 10 jours seulement pour bénéficier de cette offre spéciale. Remplissez la carte-réponse pré-affranchie et postez-la dès maintenant !

> C'est pour vous-même et pour votre carrière que vous vous devez d'essayer ce produit performant... alors, n'hésitez pas !

Veuillez agréer...

> P.-S. : dès réception de votre commande, nous vous adresserons également notre guide GRATUIT du Planning. Il contient des dizaines de petits trucs pour gagner du temps.

5> Faites une offre spéciale.

6> Expliquez l'offre.

7> Incitez à réagir immédiatement. Utilisez l'offre limitée pour créer un sentiment d'urgence.

8> Soulignez le besoin et la nécessité d'agir sur le champ.

8> Annoncez une information gratuite pour renforcer la motivation.

3 ▷ VENTE D'UN SERVICE A UN PARTICULIER

▷1 Cher ami des chiens,

▷2 Savez-vous qu'en donnant le bain à votre chien, vous pouvez <u>vraiment mettre sa santé en danger ?</u>

▷3 C'est vrai ! La plupart des propriétaires de chien provoquent l'irritation ou la déshydratation de la peau de leur compagnon par des bains trop fréquents ou l'utilisation d'un shampoing trop fort ou trop concentré. C'est pourquoi les chiens se grattent plus souvent après qu'avant le bain.

▷4 Désormais, grâce à notre service spécial, votre chien sera à la fois propre et apaisé.
Nous sommes Fido-Toilettage. Notre salon de toilettage mobile se déplace chez vous pour faire un shampoing qui, en outre, protège votre chien contre les puces.

▷5 Comme prix spécial de lancement, nous vous offrirons un shampoing de luxe comportant un traitement anti-puces pour la modique somme de 49,75 F au lieu de 99,75 F.

▷6 Appelez-nous pour fixer un rendez-vous. Voyez par vous-même ce qu'un shampoing professionnel peut faire pour la santé et le bonheur de votre chien.

▷7 Une telle occasion ne se présente qu'une fois, alors contactez-nous dès maintenant !

Veuillez agréer...

▷8 P.-S. : les études montrent que les chiens régulièrement toilettés sont en meilleure santé et vivent plus longtemps. Essayez Fido-Toilettage !

▷1 *L'appel est personnalisé. (Notez le message positif contenu dans le terme ami).*

▷2 *Créez un effet de surprise pour attirer l'attention du lecteur.*

▷3 *Faites le point sur le besoin.*

▷4 *Indiquez comment votre service répond au besoin.*

▷5 *Incitez le lecteur par une offre de lancement.*

▷6 *Demandez la commande tout en soulignant les avantages à en tirer.*

▷7 *Mettez l'accent sur le caractère limité de l'offre.*

▷8 *Utilisez le post-scriptum pour ajouter un argument de vente.*

VENTE D'UN SERVICE A UNE ENTREPRISE

> Cher Administrateur,

> <u>Dépensez-vous davantage d'argent en procédures de recouvrement que vous n'en récupérez ?</u>

> De nombreuses sociétés se sont aperçues qu'en additionnant les coûts du personnel, du téléphone, de la correspondance et des dépenses diverses, l'opération leur faisait finalement *perdre* de l'argent.

> Désormais il vous est possible de sous-traiter toutes les étapes de cette procédure à un service professionnel, qui vous permettra de recouvrir vos impayés à coût réduit par rapport à celui que vous subissez actuellement.

> Qui plus est, nous nous engageons à encaisser davantage que vous. En effet, le recouvrement est notre seule activité. Forts de nos 15 années d'expérience dans ce domaine, nous avons élaboré une approche systématique dont les résultats sont excellents.

> <u>Mais surtout, vous n'aurez aucun honoraire à payer. Nous prenons un pourcentage sur les sommes perçues. Si nous ne sommes pas efficaces, nous ne gagnons pas d'argent !</u>

> Je vous envoie ci-joint une liste des entreprises avec lesquelles nous collaborons dans votre région. N'hésitez pas à les interroger sur notre service. Leur satisfaction est le gage de notre professionnalisme.

> Pour vous permettre de découvrir nos services, nous vous offrons une réduction de 50 pour cent sur trois mois. Pour bénéficier de ce tarif privilégié, il

1> *L'appel est personnalisé.*

2> *La question pique l'intérêt du lecteur.*

3> *Le besoin est exposé.*

4> *Le besoin est satisfait.*

5> *Explication d'un second avantage.*

6> *L'absence de risque devient un avantage important.*

7> *Prouvez votre crédibilité.*

8> *Faites une offre spéciale et soulignez*

vous faut toutefois nous retourner la carte-réponse dans un délai de quinze jours. Au 1er juin, ce taux préférentiel ne sera plus valable.

9> Alors, postez la carte-réponse aujourd'hui même. Nous nous ferons un plaisir de vous aider dans vos procédures de recouvrement.

Veuillez agréer...

10> P.-S. : une récente enquête, réalisée parmi nos clients, montre que nous avons augmenté leurs recettes de 30 %. Nous pouvons faire la même chose pour vous !

5 ▶ VENTE D'UN ABONNEMENT

> Cher golfeur,

> Améliorez votre score à la saison prochaine, en vous abonnant au nouveau magazine de golf révolutionnaire, LE GOLFEUR DÉBUTANT !

> Et, avec notre offre spéciale décrite ci-après, gagnez 50 % de réduction sur le prix normal d'abonnement.

> LE GOLFEUR DÉBUTANT est le premier vrai magazine éducatif de golf qui s'adresse spécifiquement au débutant. Chaque mois, les plus grands professionnels vous enseignent les rudiments du golf. Chaque numéro couvre en détail un aspect essentiel de ce sport. Vous y trouverez des enseignements pratiques illustrés par des photos parlantes, des trucs, des secrets fascinants et bien plus encore.

> Avant même sa mise en vente, LE GOLFEUR DÉBUTANT était utilisé par les professionnels pour enseigner leur art sur des centaines de terrains. Il a prouvé sa valeur pédagogique à maintes reprises. A votre tour, maintenant, de tirer parti des merveilleux avantages que vous propose ce magazine novateur.

> Le tarif habituel de l'abonnement au GOLFEUR DÉBUTANT est de 125 F. Mais, pendant une durée limitée, vous pouvez souscrire un abonnement complet d'un an pour la modique somme de 62,50 F, soit une économie de 50 % ! Cette offre spéciale est unique. Nous ne la proposons qu'une seule fois, alors abonnez-vous dès aujourd'hui.

1 ▷ *L'appel est personnalisé.*

2 ▷ *Promettez quelque chose que le lecteur désire vraiment. (Notez qu'ici on répond au besoin, tout en retenant l'attention du lecteur).*

3 ▷ *Ajoutez un second avantage : l'économie réalisée.*

4 ▷ *Expliquez en détail comment la publication tient ses promesses. Décrivez précisément son contenu.*

5 ▷ *Preuves à l'appui, renforcez votre crédibilité à l'aide d'un exemple.*

6 ▷ *Proposez une offre spéciale et incitez à l'action. Présentez la réduction sous de nombreuses formes différentes.*

⊳ Si, pour une quelconque raison, vous n'étiez pas satisfait du GOLFEUR DÉBUTANT ou que vous ne notiez aucun progrès dans votre jeu, vous pouvez annuler votre abonnement. Vous serez remboursé sans autre forme de justification car nous sommes convaincus que LE GOLFEUR DÉBUTANT vous aidera à améliorer votre golf.

⊳ Abonnez-vous et améliorez votre score dès à présent.

Veuillez agréer...

⊳ P.-S. : avec votre abonnement, vous recevrez dix balles de golf GRATUITES, d'une valeur de 120 F.

⊳ *Minimisez le risque en avançant une garantie et soulignez l'avantage.*

⊳ *Incitez à la commande une dernière fois et rappelez au lecteur l'avantage qu'il peut tirer du produit.*

⊳ *Ajoutez une motivation supplémentaire.*

**VENTE D'UNE RÉSI-
DENCE SECONDAIRE**

> Cher vacancier,

> Rejoignez DIANI sous les tropiques, où vous serez notre hôte pendant six jours fantastiques et cinq nuits formidables.

> Vous avez bien compris, nous vous offrons le logement ainsi que deux repas par jour. Seul le transport est à votre charge et nous pouvons, spécialement pour vous, obtenir un aller-retour au tarif préférentiel de 1 475 F seulement par personne.

> Qu'est-ce qui se cache là-dessous ? Mais rien du tout. Nous sommes les gérants du CLUB DIANI, une nouvelle villégiature de luxe située sur l'une des plus belles plages du monde. La plupart des vacanciers qui viennent chez nous achètent l'une de nos villas pour leur résidence secondaire. Notre offre est le seul moyen que nous utilisons pour promouvoir notre villégiature. Comme nous disons souvent, « un séjour vaut mieux que mille annonces publicitaires ».

> Voici quelques exemples caractéristiques de ce que le CLUB DIANI peut vous offrir :
- une piscine olympique ;
- un centre sportif ;
- trois restaurants ;
- des tennis et un terrain de golf ;
- un casino ;
- de superbes villas situées sur la plage, toutes équipées d'un balcon spacieux avec vue sur l'océan.

▷ *L'appel est personnalisé.*

▷ *Commencez par une offre alléchante pour séduire la cible. (L'évocation du voyage implique le besoin d'échapper au rythme infernal du travail).*

▷ *Présentez l'offre.*

▷ *Anticipez sur le scepticisme du lecteur en expliquant la raison de cette offre spéciale.*

▷ *Énumérez les caractéristiques du lieu.*

6> Votre seule obligation consiste à participer à la charmante visite d'une heure que nous organisons au sein de la résidence. Vous découvrirez à quel point devenir propriétaire d'une villa peut être à la fois un excellent et appréciable investissement, et une échappatoire fiscale rentable.

7> A la suite de cette lettre, le nombre des personnes intéressées par cette incroyable opportunité dépassera incontestablement celui des logements disponibles, par conséquent n'attendez pas pour nous contacter par téléphone.

8> Dès réception de votre appel, nous procéderons à la réservation et vous ferons parvenir notre brochure couleur. Il vous faut avoir 21 ans révolus, et cette offre est limitée à deux personnes par famille.

9> Réservez dès aujourd'hui car la place est limitée et les premiers arrivés seront les premiers servis.

Veuillez agréer...

10> P.-S. : suite à votre appel, nous vous adresserons deux T-shirts tropiques GRATUITS que vous pourrez porter sur la plage !

6> Insistez sur les avantages de l'investissement.

7> Fournissez au lecteur une raison pour laquelle il doit agir promptement.

8> Annoncez un complément d'informations lors de l'appel du lecteur.

9> Expliquez ce qu'il faut faire et soulignez le caractère limité de l'offre.

10> Ajoutez une motivation supplémentaire pour pousser le lecteur à l'action.

VENTE D'UN SÉMINAIRE PÉDAGOGIQUE

> Cher amateur d'artisanat,

> Vous pouvez désormais transformer votre passe-temps favori en une activité commerciale fructueuse.

> De nombreux amateurs d'artisanat tels que vous sont d'accord : il n'y a pas de plus agréable moyen de gagner de l'argent. Imaginez que vous gagnez des milliers de francs par mois en faisant ce que vous feriez normalement pour votre plaisir.

> Il y six étapes à respecter pour transformer un passe-temps artisanal en un commerce rentable à temps partiel. Et vous pouvez les apprendre toutes en vous inscrivant à notre cours passionnant : *Comment transformer votre passe-temps en une entreprise.*

> Vous apprendrez avec des professionnels qui dirigent avec succès leur propre entreprise. Les principales questions abordées comprennent :

- les erreurs à ne pas commettre pour éviter l'échec ;
- les six façons d'obtenir une publicité gratuite ;
- les fournisseurs bon marché et où les trouver ;
- les idées pour ne pas succomber sous les taxes ;
- le marketing de la vente par correspondance ;
- et beaucoup plus encore !

1> L'appel est personnalisé. (Notez le côté positif du terme amateur).

2> Commencez par la promesse frappante d'un avantage qui répond à un besoin décelé (ici, le gain financier).

3> Décrivez l'avantage en termes concrets.

4> Attirez le lecteur par la promesse d'un système d'apprentissage facile.

5> Décrivez le cours en faisant appel à des exemples concrets de sujets traités.

6> N'attendez pas ! Envoyez-nous la carte-réponse dès maintenant et nous vous ferons parvenir une brochure spéciale contenant tous les détails concernant ce séminaire.

7> Pour recevoir la brochure, le formulaire d'inscription et une liste GRATUITE des foires artisanales où vous pourrez exposer, retournez-nous la carte ci-jointe aujourd'hui.

8> Cette offre est libre de toute obligation. Si vous décidez de ne pas vous inscrire, vous pourrez conserver en cadeau la liste GRATUITE des foires artisanales, d'une valeur de 99,75 F.

Veuillez agréer...

6> *Poussez le lecteur à agir.*

7> *Offrez une information gratuite pour motiver la décision du lecteur et expliquez exactement comment il peut l'obtenir.*

8> *Montrez qu'il ne court aucun risque.*

LETTRE JOINTE A UN CATALOGUE

Cher —— ,

1> Combien de fois vous est-il arrivé de tomber en panne de produits diététiques à l'improviste ?

2> Si vous êtes comme la plupart d'entre nous, cela doit vous arriver fréquemment. Vous prenez consciencieusement des produits diététiques car vous pensez qu'ils vous aident à rester en bonne santé, mais lorsque vous n'en avez plus, votre traitement peut être interrompu pendant des semaines d'affilée.

3> Désormais vous pouvez éliminer radicalement le risque de manquer de produits diététiques !

4> Vita Roi est fier de vous annoncer l'existence de son programme Vita Rappel. Lorsque vous achetez un stock de n'importe quel produit diététique Vita Roi pour plus d'un mois, nous vous envoyons une carte de rappel deux semaines avant la liquidation de votre réserve. Il vous suffit de composer notre numéro vert, de donner votre numéro de code prioritaire (inscrit sur la carte) et nous vous fournissons aussitôt votre commande. C'est rapide et pratique. Et vous ne serez jamais plus en panne de produits diététiques.

5> Pour vous inscrire au programme GRATUIT Vita Rappel, il vous suffit de poster aujourd'hui la carte d'inscription ci-jointe. Vous noterez qu'un emplacement est prévu sur la carte afin de recevoir la liste des produits diététiques que vous utilisez couramment, ainsi que la réserve dont vous disposez

1> *L'attention est attirée par une question intrigante.*

2> *Le besoin est établi.*

3> *Le produit ou service est introduit sous forme de solution à un problème.*

4> *Le service est décrit avec clarté et brièveté.*

5> *Le lecteur apprend ce qu'il doit faire.*

encore. Une fois que nous aurons reçu ces informations, vous n'aurez plus jamais à vous inquiéter à l'idée d'en manquer.

6▷ Alors, n'attendez pas et postez votre bulletin d'inscription aujourd'hui. Vous serez heureux de l'avoir fait.

Veuillez agréer...

7▷ P.-S. : le programme VITA RAPPEL vous offre les mêmes tarifs très, très bas que ceux que vous espérez trouver avec les produits VITA ROI.

6▷ *L'action requise est soulignée.*

7▷ *L'avantage d'un prix bas est ajouté en postscriptum sous forme d'une raison supplémentaire pour commander.*

9 RÉPONSE A UNE DEMANDE DE RENSEIGNEMENTS

Cher —— ,

1▷ Merci de l'intérêt que vous portez au Canoë gonflable 480 LE SPORTIF.

2▷ Nous vous adressons ci-joint notre nouveau catalogue 1992 ainsi que nos tarifs. Vous y trouverez 15 articles LE SPORTIF ainsi que de nombreux accessoires utiles.

3▷ Comme vous le savez, LE SPORTIF 480 est un parfait canoë portable. Gonflé, il atteint une longueur de 3 mètres et loge confortablement deux personnes. Une fois dégonflé, il se range facilement dans le coffre ou sur le siège arrière de votre voiture. Son poids d'un kilo seulement permet de porter LE SPORTIF sans effort et il est livré avec sa pompe électrique qui se branche sur l'allume-cigare. Il se gonfle en deux minutes.

4▷ Aux tests effectués par un groupe de défense des consommateurs, LE SPORTIF 480 s'est révélé le meilleur canoë gonflable actuellement disponible.

5▷ Vous pouvez l'acheter en appelant l'un de nos 80 numéros ou en vous rendant dans l'un des bons magasins de sports qui figurent sur la liste de la brochure.

6▷ En appelant maintenant, vous pouvez bénéficier d'une réduction de 10 pour cent sur les prix déjà peu élevés qui figurent sur la liste. Ce rabais spécial n'est valable que dans un délai de 10 jours, alors appelez aujourd'hui.

Veuillez agréer...

7▷ P.-S. : nous sommes certains que vous aimerez votre LE SPORTIF 480, c'est pourquoi nous vous le proposons à l'essai pendant un mois. Pour de plus amples renseignements concernant cette offre sans obligation d'achat, composez notre numéro vert aujourd'hui.

1▷ *Remerciez le prospect de l'intérêt qu'il porte à votre produit ou service.*

2▷ *Décrivez les informations que vous lui adressez. (Notez qu'avec sa demande, le lecteur a déjà identifié le besoin).*

3▷ *Puisque le lecteur est déjà intéressé, évitez l'excès de zèle. Décrivez les caractéristiques les plus exceptionnelles du produit. Expliquez quels avantages il peut en tirer.*

4▷ *Établissez votre crédibilité à l'aide d'un témoignage.*

5▷ *Expliquez à l'acheteur comment passer sa commande.*

6▷ *Incitez le lecteur à commander tout de suite.*

7▷ *Un essai gratuit écarte toute obligation et permet de terminer sur une note très positive.*

10 ▶ DEMANDE DE DONS

▷1 Cher ami des bêtes,

▷2 <u>Vous pouvez aider à sauver le panda géant de la disparition !</u>

▷3 Saviez-vous qu'il reste actuellement moins de 1 000 pandas géants dans le monde ? Ce gentil animal, autrefois si répandu, n'existe plus désormais qu'en très petit nombre. Si l'on ne fait d'ailleurs rien pour sauver le panda de la disparition, il aura disparu en l'an 2 000.

▷4 *Sauvons le Panda* est une association qui agit maintenant pour assurer l'avenir du panda. Et là, vous pouvez nous aider.

▷5 Votre contribution ira directement au financement des programmes éducatifs et scientifiques destinés à protéger la population mondiale des pandas et à assurer son extension.

Grâce à votre soutien, nous pouvons renverser les obstacles qui se dressent contre la survie de cette espèce qui fait la joie des petits comme des grands.

▷6 Je vous demande aujourd'hui d'aider *Sauvons le Panda*. Votre don nous permettra de progresser <u>cette année</u> d'un grand pas dans notre lutte pour la survie du panda géant.

▷7 Je vous invite à nous faire parvenir votre don rapidement. En remerciement de votre générosité, nous vous enverrons un magnifique porte-clés panda.

▷8 Veuillez remplir la carte ci-jointe et nous la retourner aujourd'hui.

▷9 D'avance nous vous remercions et vous prions de croire, Monsieur, à l'expression de nos sentiments les meilleurs.

▷1 *Appel personnalisé et positif.*

▷2 *Le besoin est identifié.*

▷3 *Le besoin fait l'objet d'un développement. Informations destinées à faire prendre conscience au lecteur de l'urgence du besoin.*

▷4 *Suggestion d'une solution au problème.*

▷5 *Montrez au lecteur en quoi sa contribution peut aider.*

▷6 *Demandez un don.*

▷7 *Offrez un cadeau gratuit en contrepartie du don.*

▷8 *Expliquez au lecteur comment envoyer le don.*

▷9 *Terminer par des remerciements indique votre espoir de recevoir le don.*

40

II. Lettres pour obtenir un rendez-vous

Pour vendre, il est fréquemment nécessaire de faire des présentations de vente individuelles. Plus ces dernières sont nombreuses, plus le nombre de ventes conclues est élevé. Malheureusement, les rendez-vous ne sont pas faciles à obtenir. Les organismes de vente, qu'il s'agisse d'entreprises personnelles ou de grandes sociétés disposant de centaines d'agents commerciaux, doivent constamment préparer le terrain pour leur personnel de vente.

Le moyen disponible le plus efficace pour obtenir un rendez-vous reste le mailing. En effet, ce support peu onéreux permet un ciblage approprié et contient toutes les informations destinées à susciter l'intérêt du lecteur pour le produit ou le service. Compte tenu du budget consacré à la publicité, il n'existe pas de meilleur moyen pour assurer le suivi des ventes individuelles.

Le mailing permet d'obtenir un rendez-vous de deux manières différentes :

Premièrement, le mailing peut préparer le terrain pour un vendeur qui assurera le suivi par un appel téléphonique ou une visite à domicile.

Cette approche est particulièrement rentable lorsque le client est à la fois ciblé et malléable. Si, par exemple, vous vendiez des instruments chirurgicaux et aviez une liste de tous les médecins de France, votre promotion resterait probablement sans effet. La liste ne serait pas suffisamment ciblée, car tous les médecins ne pratiquent pas la chirurgie. Votre mailing contacterait en vain des cibles peu intéressantes. En outre, il serait impossible de gérer la liste, car la population concernée serait beaucoup trop importante pour être traitée efficacement par n'importe quel organisme de vente. En revanche, si la liste faisait apparaître uniquement les chirurgiens domiciliés dans les régions de France où votre entreprise est commercialement représentée, votre mailing serait plus efficace. Tous les chirurgiens de la région seraient ainsi contactés par téléphone. Ayant reçu votre lettre, ces derniers ne seraient pas surpris de cet appel et se montreraient réceptifs à l'idée d'une présentation.

Le second moyen pour aboutir à un rendez-vous par courrier consiste à demander à la cible d'appeler votre entreprise ou de vous retourner une carte-réponse.

Cette approche est moins agressive mais elle donne d'excellents résultats car chaque réponse implique le client potentiel. En outre, compte tenu de l'absence de suivi en dehors de celui demandé par la cible, ce type de promotion est beaucoup moins coûteux que les appels et les démarches systématiques auprès de chaque cible. S'il est vrai que cette approche fonctionne parfaitement avec les listings bien ciblés, elle constitue l'unique moyen financièrement rentable d'exploiter des listes moins ciblées. Le client qui répond à ce type de courrier fait preuve d'intérêt pour le produit ou le service, et devra être contacté rapidement.

Lorsque vous rédigez un mailing destiné à obtenir un rendez-vous, n'oubliez pas que votre objectif est de susciter l'intérêt du lecteur. Il vaut mieux garder la description détaillée du produit et de ses caractéristiques pour l'appel téléphonique de suivi. La meilleure solution est de présenter un ou deux des avantages principaux du produit ou du service, dans la lettre qui précédera cet appel. Vendez la peau, vous vendrez l'ours plus tard.

1 OBTENIR UN RENDEZ-VOUS AVEC UN PARTICULIER POUR UN PRODUIT

Cher —— ,

1> <u>Si votre maison venait à prendre feu, seriez-vous en mesure de remplacer les précieux papiers personnels et financiers perdus dans l'incendie ?</u>

2> Probablement pas. La plupart d'entre nous conserve toutes sortes de papiers et de souvenirs à la maison, sans protection particulière.

3> Imaginez le remplacement de toutes vos photos, polices d'assurance, feuilles d'impôt, actes, diplômes, livret de famille et testament !

4> Vous pouvez désormais mettre ces biens précieux à l'abri du feu. Le nouveau dossier ignifuge de LA PROTECTRICE vous permet de conserver tous vos documents importants à l'abri du feu et des inondations.

5> Offrez-vous la sécurité d'un dossier ignifuge pour un prix très abordable.

6> Pour découvrir comment obtenir votre dossier LA PROTECTRICE, renvoyez-nous la carte-réponse ou appelez notre numéro vert (40 40 19 92). Notre représentant se fera un plaisir de vous rencontrer pour vous présenter ce dossier ignifuge d'un prix exceptionnel.

1> *Identifiez le besoin en posant une question qui capte l'attention du lecteur.*

2> *Posez le problème en détail.*

3> *Reformulez le problème pour permettre au lecteur de s'identifier à vos dires.*

4> *Présentez votre produit sous forme de solution au problème.*

5> *Décrivez un avantage supplémentaire.*

6> *Expliquez au lecteur ce que vous attendez de lui.*

▷ En cadeau, vous pouvez bénéficier d'un inventaire photo GRATUIT de tous vos biens. Ce présent vous sera d'une inestimable utilité en cas d'incendie et il vous est offert sans obligation d'achat. Quoique vous décidiez, vous pourrez conserver cet inventaire photo.

▷ Ne restez pas sans protection ! Retournez-nous la carte-réponse ou appelez-nous dès à présent. Vous pouvez recevoir GRATUITEMENT un inventaire photo, simplement en nous permettant de vous présenter le dossier LA PROTECTRICE.

Cordialement.

▷ *Introduisez une offre spéciale.*

▷ *Incitez à nouveau le lecteur à réagir.*

2 OBTENIR UN RENDEZ-VOUS AVEC UNE ENTREPRISE POUR UN PRODUIT

Cher —— ,

1> Le classement des dossiers est-il pour vous un véritable cauchemar ?

2> Une étude récente réalisée par l'Association de Bureautique montre que trois bureaux sur cinq souffrent de sérieux problèmes provoqués par les erreurs de classement. Ce type d'erreurs représente une perte d'argent annuelle considérable pour les sociétés, non seulement à cause du temps passé par leurs employés à retrouver les dossiers, mais aussi du mécontentement des clients en raison des retards accumulés.

3> Il est désormais possible d'éliminer radicalement ces erreurs grâce au nouveau système par codes de couleur de CLASSEMENT FACILE. Avec lui, impossible de ranger un dossier au mauvais endroit. CLASSEMENT FACILE facilite la recherche de vos dossiers et vous fait gagner du temps. Son secret ? Une numérotation claire, correspondant à un code couleur.

4> En voyant ce système, vous comprendrez tout de suite ses avantages :
- élimination des erreurs de classement
- gain de temps
- organisation des dossiers
- accès aux dossiers en un clin d'œil
- simplification de la procédure de classement
- et beaucoup plus encore !

1> *Une question identifiant le besoin attire l'attention du lecteur.*

2> *Explication du besoin. Notez l'utilisation de statistiques établies par un organisme indépendant, destinées à renforcer la gravité du problème.*

3> *Montrez que votre produit répond au besoin.*

4> *Décrivez les avantages du produit.*

5> Des centaines de sociétés ont déjà abandonné leurs anciens dossiers au profit du système moderne et efficace du Classement Facile. Et vous ?

6> Pour vous permettre de découvrir Classement Facile, nous vous offrons une étude GRATUITE, sans obligation d'achat, de votre système de classement actuel. Nous examinerons vos procédés et vous proposerons nos suggestions afin d'améliorer votre système en vous montrant exactement quel gain de temps et d'argent vous apportera le code couleur de Classement Facile.

7> Je vous appellerai la semaine prochaine afin de fixer avec vous un rendez-vous pour cette étude GRA-TUITE.

A bientôt.

8> P.-S. : vous serez surpris de découvrir que Classement Facile ne coûte pas plus cher que votre système actuel.

5> Appuyez votre crédibilité sur la satisfaction de votre clientèle.

6> Faites une offre spéciale.

7> Prévenez le lecteur de votre prochain appel.

8> Mentionnez le faible coût du produit pour motiver l'assentiment du lecteur à l'égard du rendez-vous.

3 OBTENIR UN RENDEZ-VOUS AVEC UN PARTICULIER POUR UN SERVICE

1> Cher voisin,

2> Imaginez une superbe pelouse, sans difficulté d'entretien, avec 20 % de réduction sur les prix de l'année dernière. Cela vous intéresse ?

3> Vos voisins sont déjà très satisfaits de leur splendide pelouse. En effet, ils utilisent les services des pépinières VERDURE ÉTERNELLE. Et parce qu'ils sont si nombreux à faire appel à VERDURE ÉTERNELLE, nous pouvons vous faire économiser de l'argent !

4> Nous devons nos performances à l'importante clientèle de VERDURE ÉTERNELLE dans votre quartier. Nos frais de déplacement étant réduits, il nous est permis de vous faire bénéficier d'une offre préférentielle. Vous pouvez effectivement économiser 20 % ou plus !

5> C'est la satisfaction de vos voisins à l'égard de nos services qui rend possible cette offre exceptionnelle !

6> Avec le service d'entretien de VERDURE ÉTERNELLE, votre pelouse recevra tous les soins nécessaires pour rester verte et épaisse. Nous préparons le terrain avant la plantation, nous fournissons les graines et le fertilisant, et nous effectuons le traitement contre les mousses et les maladies. Nous pouvons prendre en charge la totalité du processus ou

---

1> *L'appel désarme le lecteur.*

2> *Attirez le lecteur par la réponse à un besoin que vous avez su percevoir.*

3> *Appuyez votre crédibilité sur votre connaissance du quartier.*

4> *Expliquez ce qui rend possible l'offre exceptionnelle.*

5> *Soulignez les avantages de l'offre spéciale et l'excellence du service.*

6> *Expliquez tous les aspects du service.*

seulement une partie. Pour VERDURE ÉTERNELLE, aucun travail ne manque d'intérêt.

Naturellement, le coût de nos services est proportionnel à la taille de votre jardin.

7▷ Pour une estimation GRATUITE, sans engagement de votre part, appelez-moi dès aujourd'hui. Je viendrai personnellement chez vous pour visiter votre jardin et répondre à toutes vos questions.

Cordialement

8▷ P.-S. : si vous souhaitez connaître le nom des voisins qui font appel à nos services, n'hésitez pas à me le demander au téléphone.

7▷ *Reformulez l'offre et indiquez clairement au lecteur ce qu'il doit faire.*

8▷ *Utilisez le post-scriptum pour renforcer votre crédibilité et rappeler au lecteur qu'il doit vous téléphoner.*

OBTENIR UN RENDEZ-VOUS AVEC UNE ENTREPRISE POUR UN SERVICE

Cher —— ,

> <u>Vous savez à quel point il est difficile de trouver un imprimeur de qualité, pratiquant des tarifs compétitifs.</u>

> C'est en recevant votre catalogue par la poste ce matin que je me suis décidé à vous écrire.

> J'avoue que si je recherchais le type de travaux correspondant parfaitement à notre équipement, votre catalogue serait tout choisi. Il me semble qu'une telle entente devrait vous permettre de réaliser des économies, tout en bénéficiant de la qualité et du respect des délais que vous recherchez.

> Les Presses Économiques proposent justement ce service depuis plus de 20 ans. Ne pensez-vous pas qu'il serait temps de nous rencontrer ?

> Découvrez comment la collaboration avec un petit imprimeur appliqué à la qualité du service, tel que les Presses Économiques, peut satisfaire vos besoins de publication.

1> *Attirez l'attention en posant un problème bien connu du lecteur.*

2> *Développez les raisons pour lesquelles votre service peut résoudre le problème efficacement. Personnalisez, si possible, votre formulation.*

3> *Mentionnez les avantages de votre service.*

4> *Établissez votre crédibilité.*

5> *Invitez le lecteur à en savoir plus sur votre service.*

▷ Je serai dans votre région jeudi et vendredi prochains. Je vous téléphonerai dans quelques jours pour fixer avec vous un rendez-vous, à l'heure qui vous conviendra.

A bientôt.

▷ P.-S. : après examen de votre catalogue, je souhaiterais vous faire partager quelques idées vous permettant de réduire vos coûts, tout en gagnant de la place. Je me réjouis de pouvoir discuter de ces suggestions avec vous.

▷ *Prévenez le lecteur de votre prochain appel.*

▷ *Fournissez au lecteur une raison supplémentaire d'accepter le rendez-vous.*

5 OBTENIR UN RENDEZ-VOUS POUR UN SERVICE FINANCIER

▷ Cher contribuable,

▷ ALERTE AUX IMPÔTS ! ALERTE AUX IMPÔTS ! ALERTE AUX IMPÔTS !

▷ <u>Avec la nouvelle loi, vous risquez de perdre 30 % de votre revenu, soit 30 centimes sur chaque franc gagné.</u>

▷ Imaginez à quel point cette baisse considérable de revenu affecterait votre style de vie ? Ce serait désastreux.

▷ Bon nombre de gens prennent déjà des mesures pour se protéger contre la baisse de leurs revenus. <u>En effet, en utilisant des moyens parfaitement légaux, il est possible d'augmenter votre revenu net d'impôts.</u>

▷ Vous aussi, vous pouvez protéger vos revenus grâce à la SOCIÉTÉ FRANÇAISE de FINANCES.

▷ Je serais heureux de vous indiquer ce qu'il faut faire <u>maintenant</u> face à la nouvelle législation. Je suis convaincu qu'après avoir entendu quelques uns de mes conseils, vous souhaiterez avoir recours à mes services peu onéreux.

▷ Ayant travaillé avec des centaines de foyers, je puis vous assurer que chacun d'entre eux a été en mesure d'alléger ses impôts.

1▷ *L'appel est personnalisé.*

2▷ *Attirez l'attention par un gros titre.*

3▷ *Identifiez le besoin.*

4▷ *Développez le besoin.*

5▷ *Suggérez une solution au problème.*

6▷ *Présentez votre société et votre service.*

7▷ *Affirmez pouvoir résoudre le problème.*

8▷ *Établissez votre crédibilité.*

9> Je vous contacterai par téléphone la semaine prochaine, afin de convenir avec vous d'un rendez-vous. Cette visite ne vous coûtera rien. C'est pour moi l'occasion de vous remercier de bien vouloir m'exposer votre situation financière et de vous montrer l'aide que je peux vous apporter dans la réalisation de vos objectifs financiers.

Cordialement

10> P.-S. : lors de mon appel, je serai heureux de vous fournir toutes les références que vous pouvez désirer.

9> Introduisez la demande de rendez-vous et facilitez-en l'acceptation en offrant une consultation gratuite.

10> Renforcez votre crédibilité et mentionnez à nouveau votre prochain appel.

LETTRE A UN CLIENT DIFFICILE A JOINDRE

Cher —— ,

> Croyez-vous au dicton selon lequel « si vous ne réussissez pas une première fois, essayez une seconde fois » ?

J'y crois et c'est pourquoi je vous adresse ce courrier.

> J'ai tenté à plusieurs reprises de prendre rendez-vous avec vous, mais en vain. Généralement, lorsque cela arrive, je fais une croix dessus et je n'appelle plus. Mais votre cas est différent.

<u>Voyez-vous, je sais que vous avez besoin de mes services.</u>

> Votre entreprise, PLOMBERIE et CHAUFFAGE DUBOIS, emploie des centaines de mètres de tuyaux en cuivre par semaine. Je le sais car je suis le fournisseur de bon nombre de vos concurrents et ces derniers me disent que votre entreprise est tout à fait similaire aux leurs.

> CUIVREX, ma société, est le plus grand fournisseur de tuyaux en cuivre de la région. Nous avons permis à vos concurrents de réaliser des économies et nous pouvons en faire de même pour vous.

> Ne pensez-vous pas qu'il vaudrait la peine de consacrer 15 minutes de votre temps à examiner l'opportunité que vous offre CUIVREX ?

> Je vous appellerai la semaine prochaine afin de convenir d'un rendez-vous.
Cordialement

> P.-S. : je vous envoie ci-joint une brochure qui vous permettra de découvrir CUIVREX et la gamme de nos produits.

1 *Commencez par une question intrigante.*

2 *Répondez à la question sur un ton personnalisé et intéressant.*

3 *Montrez que vous connaissez l'entreprise et les besoins de la cible.*

4 *Décrivez votre produit ou service, ainsi que les avantages que présente une collaboration avec vous.*

5 *Demandez 15 minutes seulement, et vous obtiendrez certainement une réponse positive.*

6 *Annoncez le moment auquel vous avez l'intention de téléphoner.*

7 *Envoyez une information pour familiariser la cible avec votre société et ses services.*

OBTENIR UN RENDEZ-VOUS AVEC UN PROSPECT DONT VOUS IGNOREZ LE NOM

Cher —— ,

1▷ Dites-moi, la personne du standard est terrible chez vous !

2▷ Elle a si bien réussi à filtrer mes appels que je n'ai même pas pu lui soutirer votre nom. C'est un peu difficile d'adresser un courrier à une personne mystérieuse, mais voilà.

3▷ Un de mes amis m'a récemment montré votre catalogue et j'ai tout de suite compris qu'il s'agissait d'un travail idéal pour mon entreprise. Nous sommes en effet spécialisés dans l'impression de ce type de catalogues.

4▷ Vous découvrirez que nos tarifs sont hautement compétitifs, et la qualité de nos services largement supérieure à celle que la plupart des imprimeurs peuvent offrir.

5▷ Vous trouverez ci-joint un travail similaire au vôtre, réalisé par nos soins. Veuillez noter la clarté de l'impression et la finesse de reproduction dans les demi-teintes. Ce client nous est fidèle depuis plus de cinq ans.

6▷ A vous de faire le pas suivant. Pourquoi ne pas m'appeler pour que nous envisagions ensemble le meilleur moyen de répondre à vos besoins ?

7▷ Dites moi simplement que vous êtes « la personne mystérieuse »... Je saurai qui vous êtes.

Je me réjouis de connaître bientôt votre nom.

Cordialement

1▷ *Suscitez l'intérêt par une remarque personnelle sur l'entreprise du lecteur.*

2▷ *Expliquez les difficultés rencontrées pour obtenir le nom du lecteur.*

3▷ *Identifiez le besoin.*

4▷ *Mentionnez les avantages que présentent vos services.*

5▷ *Joignez un échantillon comme preuve de qualité.*

6▷ *Suggérez que la cible vous contacte par téléphone.*

7▷ *Mettez à profit le fait que vous ignorez le nom de la cible, en utilisant l'humour pour établir le contact.*

III. Lettres de relance

On envoie généralement une lettre de relance lorsque l'effort de vente ne s'est pas concrétisé par une commande. **Une lettre de relance bien rédigée permet de maintenir la communication entre le vendeur et le client.** Dans de nombreux cas, elle peut en outre inciter un acheteur indécis à remplir son bon de commande. Par ailleurs, ce type de courrier peut être adressé après la perte d'une vente, afin de rester en contact avec la cible et d'être en mesure de lui proposer une autre opportunité.

Bien que de nombreux services commerciaux considèrent la relance comme une option, celle-ci devrait systématiquement faire partie de tout programme de vente ou de relations publiques. Elle ne témoigne pas en effet uniquement du professionnalisme d'une équipe commerciale, mais exprime également la volonté d'un organisme de vente de saisir toute opportunité lui permettant de présenter ses produits. Enfin, la lettre de relance témoigne du souci qu'à l'équipe de vente de satisfaire les besoins de la cible.

Voici quelques principes de rédaction pour obtenir des résultats avec une lettre de relance :

- **Commencer par mentionner les rencontres, courriers, appels téléphoniques, brochures ou autre prise de contacts antérieurs.**
- **Présenter brièvement le produit ou le service proposé.**
- **Réitérer les principaux avantages ou l'offre spéciale.**
- **Présenter de nouvelles informations ou une nouvelle offre.**
- **Expliquer au prospect l'étape suivante ou comment faire pour commander.**
- **Si possible, remercier le lecteur de l'intérêt qu'il porte au produit ou au service.**

Puisque vous procédez au suivi d'une prise de contact antérieure, vous pouvez adopter un ton personnel et familier. Essayez d'établir un lien affectif entre vous et le destinataire. Pour ce faire, vous pouvez recourir à des entrées en matière telles que :
Vous vous souvenez que je vous ai offert le mois dernier....
ou *J'ai particulièrement apprécié les commentaires dont m'avez fait part au sujet de... lors de notre rencontre en juillet.*

1 RELANCE APRÈS UNE DEMANDE DE RENSEIGNEMENTS

Cher —— ,

> Voici trois semaines, je vous ai adressé nos tarifs concernant l'imprimante offset Irami 450.

> Lors de notre rencontre, vous avez exprimé le besoin urgent de vous équiper de ce matériel. Compte tenu de votre silence depuis ce moment, je me permets de vous recontacter.

> Dans mon devis, je vous promettais la livraison dans un délai de huit semaines. Il m'est toujours possible de maintenir ce délai si vous passez votre commande rapidement. Vous pouvez être néanmoins assuré que je ferai de mon mieux pour vous satisfaire, indépendamment de la date à laquelle vous nous ferez parvenir votre commande.

> Après avoir étudié à nouveau vos besoins et la proposition que je vous ai envoyée, je sais que l'Imari est l'imprimante qu'il vous faut et que son prix est compétitif.

> Je vous appellerai la semaine prochaine pour vous offrir mon aide dans cette importante décision.

A bientôt.

1> Décrivez la proposition.

2> Rappelez au lecteur son besoin ou intérêt spécifique.

3> Proposez des options qui résoudront le problème et conduiront à une vente.

4> Affirmez votre conviction personnelle sur les avantages que présentent le produit, le service ou l'offre pour la cible.

5> Prévenez le prospect de votre appel téléphonique. Ceci témoigne de votre diligence et de votre souci.

2 RELANCE APRÈS UNE RENCONTRE

Cher —— ,

1> Je me suis réjoui de notre rencontre la semaine dernière et j'aimerais vous remercier d'accepter qu'ARCHITECTURA vous soumette une étude pour les nouveaux bureaux de votre entreprise.

> **1>** *Remerciez la cible de l'opportunité qu'elle vous offre.*

2> Après avoir vu le potentiel des locaux, je partage le vif intérêt que vous portez à la mise en œuvre de ce projet.

> **2>** *Exprimez votre enthousiasme à l'égard du projet.*

3> Comme convenu, je vous ferai parvenir une proposition préliminaire le 23 courant, accompagnée d'un projet de plan. Je vous adresserai également les photos du projet de LA BANQUE POUR TOUS dont nous avons parlé. Dès que vous m'aurez fait savoir la taille et l'emplacement réservé à votre nouveau système informatique, et que le propriétaire m'aura envoyé le projet du constructeur, je pourrai travailler sur la proposition.

> **3>** *Remémorez au lecteur les accords passés lors de votre première rencontre.*

4> Une fois que vous aurez eu le temps d'examiner celle-ci, je vous appellerai pour que nous puissions convenir d'un second rendez-vous. Si tout marche comme prévu, nous devrions être en mesure de conclure le marché autour du 15 du mois prochain. Il nous serait ainsi possible de finaliser notre projet au début de l'été.

> **4>** *Expliquez comment vous comptez assurer le suivi.*

5> Au cas où j'aurais omis un détail ou si vous avez d'autres questions, n'hésitez pas à m'appeler.

> **5>** *Donnez à la cible l'opportunité de réagir.*

6> Permettez-moi encore de vous dire combien j'apprécie cette future collaboration.

> **6>** *Formulez à nouveau votre appréciation.*

Cordialement

3 ▸ RELANCE APRÈS UNE PREMIÈRE PROPOSITION DE VENTE

Cher —— ,

> Le mois dernier, vous avez sans doute commis une erreur. Heureusement, il est encore temps de la réparer !

> Voici quatre semaines que vous avez acheté un nouveau COUPÉ SPORT TURBO 5 000. Vous avez apprécié la douceur et le confort de sa conduite. Vous avez constaté sa puissance d'accélération. Et vous avez pu apprécier son excellente tenue de route en cas de mauvaises conditions atmosphériques. Si nous avons attendu un mois pour vous contacter, c'est pour vous laisser le temps de découvrir la réelle valeur de la superbe voiture que vous avez achetée.

> Maintenant que vous n'avez plus aucun doute, nous aimerions vous soumettre à nouveau la proposition que vous avez refusée le mois dernier. Vous avez dit NON à l'option de la garantie étendue. Pourquoi ne pas y réfléchir une seconde fois ?

> La garantie étendue vous offre la même protection que celle dont vous bénéficiez la première année, mais étendue à cinq ans. Vous êtes couvert pour tout (sauf usure normale du véhicule). Cette garantie économique vous assurera, demain aussi bien qu'aujourd'hui, le parfait fonctionnement de votre véhicule.

> Voici la dernière chance pour vous d'étendre votre couverture. Nous ne vous contacterons plus à ce sujet. Retournez-nous la carte-réponse ci-jointe dès à présent, vous ne le regretterez pas.
Cordialement

> P.-S. : attention ! ceci est votre dernière chance, alors profitez de notre offre dès maintenant !

1▸ *Attirez l'attention du client par une affirmation provocante.*

2▸ *Rappelez au lecteur les caractéristiques du produit.*

3▸ *Présentez l'offre de relance.*

4▸ *Décrivez les avantages dont le client peut bénéficier.*

5▸ *Soulignez le caractère limité de l'offre.*

6▸ *Renforcez le caractère d'urgence en mentionnant à nouveau que l'offre est limitée.*

RELANCE APRÈS LA PERTE D'UNE VENTE

Cher —— ,

1 ▷ Je vous remercie de m'avoir fait savoir que vous aviez commandé vos rubans de paquets-cadeaux auprès d'une autre société.

Il est rare qu'un client prenne le temps de faire connaître ses positions à un vendeur, c'est pourquoi j'apprécie doublement votre démarche.

2 ▷ Je pense que, la prochaine fois, EMBALLE-TOUT sera en mesure de satisfaire vos besoins en matière d'emballage.

3 ▷ Vous trouverez ci-joint la nouvelle brochure concernant l'emballage des paquets-cadeaux. Vous noterez que nous avons élargi notre gamme de boîtes et de papiers de soie. Pour votre plus grand choix, nous disposons maintenant de 23 tailles de boîtes et de 15 teintes de papier de soie différentes.

4 ▷ Nous attirons votre attention sur les personnages autocollants figurant pages 8 et 9. Il s'agit d'une ligne de produit tout à fait nouvelle. Je suis certain que vous leur trouverez de nombreuses applications créatives.

5 ▷ N'hésitez pas à me contacter par téléphone pour toute demande de renseignements concernant les produits EMBALLE-TOUT.

6 ▷ Avec l'espoir de vous compter bientôt parmi nos futurs clients, veuillez agréer, Monsieur, l'assurance de nos sentiments les meilleurs.

1 ▷ Utilisez la vente perdue pour rétablir le contact et ouvrir une nouvelle possibilité de communication.

2 ▷ Exprimez votre espoir d'obtenir la future clientèle du lecteur.

3 ▷ Joignez une information concernant un produit ou service susceptible d'intéresser le client.

4 ▷ Soulignez l'existence d'un produit, d'une caractéristique ou d'un avantage spécifique.

5 ▷ Expliquez au client ce qu'il doit faire.

6 ▷ Terminez en réitérant votre espoir de conclure prochainement une affaire avec le lecteur.

RELANCE D'UNE OFFRE SPÉCIALE

Cher —— ,

> Le temps est compté !

> La semaine dernière, je vous ai proposé un prix exceptionnel pour l'achat d'un traitement de texte UNIVERSAL EASY WRITE.

> Comme je vous l'ai expliqué, le fabricant offre ce type de promotion une fois par an uniquement. La semaine prochaine, ce même matériel vous coûtera 500 F en plus. Mais il n'est pas trop tard si vous vous y prenez dès à présent.

> Vous pouvez encore réserver votre traitement de texte et le payer moins cher en m'appelant ou en venant me rendre visite au magasin d'exposition.

> Vous avez pu constater, lors de la démonstration, que l'UNIVERSAL est le plus complet et le plus convivial des traitements de texte actuellement sur le marché. Et, compte tenu de cette offre exceptionnelle, c'est également le plus abordable.

> Le prix augmente la semaine prochaine, alors ne laissez pas passer l'occasion et commandez aujourd'hui.

Cordialement

> P.-S. : lors de votre appel, n'oubliez pas de vous renseigner au sujet de notre plan de paiement. Ce dernier vous permet d'avoir votre traitement de texte pour moins de 150 F par mois.

1> Utilisez l'éventualité d'une occasion perdue pour attirer l'attention.

2> Réitérez l'offre spéciale.

3> Mentionnez l'économie possible. Pour une motivation supplémentaire, reparlez de l'occasion perdue.

4> Expliquez à la cible comment tirer parti de l'offre.

5> Décrivez les caractéristiques et les avantages principaux qui avaient antérieurement intéressé la cible.

6> Incitez le lecteur à agir rapidement compte tenu du temps limité.

7> Utilisez le postscriptum pour souligner un argument de vente supplémentaire.

6 ▸ RELANCE APRÈS L'ENVOI D'UNE BROCHURE

Cher —— ,

▷1 Voici trois semaines, vous nous avez adressé une demande de renseignements au sujet de la bicyclette d'appartement Ultra 2 000 et nous avons envoyé notre brochure par retour.

▷2 Si vous ne nous avez pas recontacté, peut-être est-ce dû à un manque d'informations concernant ce remarquable équipement de sport.

▷3 Afin de vous permettre de prendre la bonne décision, nous nous proposons de répondre aux questions les plus simples que vous êtes en droit de vous poser au sujet de l'Ultra 2 000.

▷4 Est-il possible de varier l'utilisation de ce matériel ?

Voici le point-clé de cette bicyclette sportive. Le changement automatique des vitesses vous offre la possibilité de simuler les descentes et les côtes, en fonction du degré de difficulté que vous souhaitez.

▷5 Quel avantage me procure cette caractéristique ?

L'avantage est double. D'une part, vous bénéficierez toujours d'un exercice aérobique performant, car vous pouvez augmenter le degré de difficulté au fur et à mesure que votre endurance s'améliore. D'autre part, vous ne vous ennuierez jamais, car vous pouvez modifier l'exercice à volonté.

▷6 Le système est-il sans danger ?

Naturellement, avant de commencer tout programme d'exercice, vous devez consulter votre médecin. L'Ultra 2 000 est toutefois la plus sûre de toutes les bicyclettes actuellement sur le marché.

▷1 *Rappelez au lecteur qu'il a demandé une brochure.*

▷2 *Exprimez votre désir d'informer le client.*

▷3 *Mentionnez que vous allez répondre aux questions les plus couramment posées.*

▷4 *Utilisez une question pour mentionner une caractéristique unique.*

▷5 *Expliquez le bénéfice qu'apportera le produit.*

▷6 *Répondez à tout problème susceptible de repousser la décision d'acheter.*

Votre rythme cardiaque est automatiquement contrôlé pendant l'exercice et, en cas de surmenage, la machine vous avertit et s'éteint toute seule.

> Nous espérons que ces questions et réponses vous auront été utiles. Pour de plus amples informations, n'hésitez pas à composer notre numéro vert, un agent commercial se fera un plaisir de vous renseigner.

Cordialement.

▷ Réaffirmez votre désir d'aider.

IV. Lettres à la clientèle

Trop souvent, les programmes de marketing négligent la clientèle déjà établie, en privilégiant une campagne de vente destinée à attirer de nouveaux clients. Pourtant, **les précédents acheteurs représentent un potentiel de vente important puisqu'ils connaissent vos produits et apprécient sans doute vos services. Ces derniers offrent de meilleures perspectives pour une vente répétée que lors d'une première vente. La liste de votre clientèle est une mine d'or.**

L'envoi fréquent de mailings permet non seulement d'accroître les ventes, mais également de fidéliser les clients. Vous leur rappelez le nom de votre société, votre produit et vos services. En outre, vous témoignez de votre intérêt pour eux. Le client aime être reconnu, et la reconnaissance est un énorme facteur de motivation. Un mailing bien conçu et bien rédigé peut vous permettre de réveiller le besoin du client pour votre produit, susciter un nouvel intérêt, et inspirer de nouveaux achats. Vous découvrirez que les lettres que vous adressez à votre clientèle sont dans l'ensemble les plus rentables.

Le mailing à la clientèle doit être moins formel et plus amical que celui destiné à des prospects. Le contact est déjà établi avec le client et il vous suffit de renforcer vos relations. De plus, contrairement au mailing « à froid », il n'est pas nécessaire ici de mentionner explicitement le besoin, puisque celui-ci a – dans une certaine mesure – été déjà identifié. Il se peut toutefois que vous souhaitiez souligner ce besoin ou créer un besoin secondaire. Ne perdez pas de vue le fait que chacun de ces mailings est l'occasion pour vous de vendre, d'une manière ou d'une autre, votre société, ses services ou ses produits.

Voici quelques suggestions destinées à transformer vos clients en acheteurs confirmés :

- **Mentionner le nom du client dans l'appel, chaque fois que cela est possible.** Si l'envoi d'une lettre individuelle et personnalisée revient trop cher, compte tenu de l'importance du listing, utiliser la formule *Cher client*, *Cher client fidèle* ou *Cher ami*. Ces appels peuvent être imprimés économiquement en masse. Ils permettent de traiter le client avec une reconnaissance personnalisée, et de commencer la lettre par une note positive.
- **Dès l'entrée en matière, reconnaître et remercier le client pour ses achats antérieurs** ou attirer son attention à l'aide d'une affirmation ou d'une question personnelle ou amicale.
- **Introduire une offre intéressante**, ou fournir au client une nouvelle raison d'acheter.
- **Si vous entretenez des relations amicales avec le client et que la lettre est positive, terminez par une formule amicale et familière telle que « Cordialement ».**
- Faites savoir au client que vous comprenez qu'il espère et mérite un traitement de faveur.

Note : pour plus de détails, consultez également le chapitre suivant *lettres de service après-vente.*

1 ► LETTRE DE BIENVENUE A UN NOUVEAU CLIENT

Cher —— ,

1 ► En tant que Président de l'agence SOUX et REGELA, j'aimerais vous souhaiter personnellement la bienvenue parmi notre clientèle.

2 ► Isabelle PARMIER, votre responsable comptable, m'a parlé de votre société et nous nous réjouissons à l'idée de pouvoir vous assister dans la réalisation de vos objectifs marketing.

3 ► C'est toujours un grand plaisir pour moi d'accueillir de nouveaux clients car cela me permet de présenter la philosophie de S&G. C'est le succès de cette philosophie qui nous permet d'aider nos clients à atteindre et même dépasser leurs objectifs publicitaires.

Chez S&G nous croyons à ce que nous appelons le « service 110 % ». Cent % ne nous paraît pas suffisant car, pour chaque projet, nous vous apportons plus que vous n'espérez, plus que ce pour quoi vous payez. C'est avec ce *plus* que nous créons une publicité performante. C'est lui qui nous permet de gagner votre confiance et votre collaboration suivie.

4 ► Dans l'espoir de vous recevoir prochainement et personnellement, je vous prie de croire, cher Monsieur, à l'expression de mes sentiments dévoués.

1 ► *Personnalisez l'accueil.*

2 ► *Exprimez votre enthousiasme à l'égard du nouvel accord conclu.*

3 ► *Profitez de l'occasion pour améliorer l'image positive de votre entreprise.*

4 ► *Exprimez votre désir d'établir une relation personnelle avec le client.*

2 LANCEMENT D'UN NOUVEAU PRODUIT

Cher —— ,

1▷ <u>Réduisez radicalement vos dépenses de chauffage grâce aux doubles portes ISOLAR !</u>

2▷ Avec le double vitrage ISOLAR, vous avez déjà réalisé de considérables économies d'énergie. Les doubles portes ISOLAR vous permettront une économie supplémentaire.

3▷ Nous accordons la primeur de ce nouveau produit à nos clients, avant tout. Ainsi vous pourrez planifier tranquillement l'installation de vos portes et être assuré de dépenser moins pour votre chauffage cet hiver.

4▷ Nous vous avons réservé un exemplaire de notre brochure <u>Doubles Portes ISOLAR – Pour l'Economie d'Énergie.</u> Vous y trouverez tous les trucs indispensables pour affronter l'hiver dans les meilleures conditions, ainsi que tous les renseignements concernant les caractéristiques, les styles et les prix des doubles portes ISOLAR.

5▷ Pour recevoir votre brochure GRATUITE, appelez-nous dès aujourd'hui ou retournez la carte-réponse ci-jointe.

6▷ N'attendez pas pour vous protéger contre le froid et les dépenses inutiles.

Cordialement.

7▷ P.-S. : tout comme le prix de votre double vitrage, le prix des doubles portes ISOLAR représente, à qualité égale, une économie de 20 % sur toutes les autres doubles portes du marché !

1▷ *Identifiez le nouveau besoin et introduisez le nouveau produit en réponse à ce besoin.*

2▷ *Renouez les relations avec le client. Appuyez-vous sur la satisfaction du client, à l'égard d'un produit précédent, pour vendre votre nouveauté.*

3▷ *Proposez une offre exclusivement réservée à la clientèle.*

4▷ *Annoncez l'existence d'une brochure d'information utile.*

5▷ *Incitez le client à se procurer les informations.*

6▷ *Suggérez l'avantage à agir immédiatement.*

7▷ *Mentionnez un dernier avantage concernant le produit.*

LANCEMENT D'UN NOUVEAU SERVICE

Cher ——,

> L'année dernière, vous avez suivi avec succès le stage de vente GLOBAL COM. et nous vous félicitons pour votre réussite personnelle.

> Vous serez heureux d'apprendre que GLOBAL COM. propose également un service vous permettant d'exceller dans le domaine le plus délicat de la gestion des ventes : le recrutement d'une équipe commerciale performante.

> Nous souhaitons donc vous présenter le nouveau service de Conseil en Recrutement GLOBAL COM.

> Ce service de recrutement exceptionnel se charge de vous trouver les stagiaires commerciaux présentant le profil et la motivation nécessaires au succès de votre entreprise. Et ce, pour un coût nettement inférieur à celui des services de recrutement traditionnels.

> Vous vous demandez « comment cela est possible » ? La réponse est simple. Tous les candidats ont suivi le stage d'introduction à la vente de GLOBAL COM. Et nous nous assurons qu'ils reçoivent la formation adéquate. Le recrutement nous aide à vendre notre formation, et sa mise en œuvre occasionne peu de frais. C'est pourquoi nous sommes en mesure de vous faire bénéficier de tarifs préférentiels.

> Vous gagnez du temps et de l'argent. Plus besoin de passer des annonces de recrutement ou de faire appel à des services onéreux. De plus, les candidats étant sélectionnés et formés par nos soins, vous ne perdez plus votre temps à recevoir des gens non qualifiés.

> Nous vous appellerons dans quelques jours afin de discuter ensemble de cette approche novatrice concernant vos besoins en personnel commercial.

Cordialement.

1▷ *Établissez le lien en félicitant le client pour avoir sagement eu recours à vos services.*

2▷ *Ravivez l'intérêt à l'aide d'une promesse de gain alléchante.*

3▷ *Présentez le nouveau service.*

4▷ *Décrivez le service et les avantages qu'il présente pour le client.*

5▷ *Prouvez votre crédibilité en expliquant ce qui vous permet de faire cette proposition.*

6▷ *Énoncez les avantages du produit.*

7▷ *Faites savoir au client que vous assurez un suivi sur votre démarche.*

PRÉSENTATION D'UN NOUVEAU REPRÉSENTANT COMMERCIAL

Cher ── ,

1▷ J'ai non seulement une mais plusieurs bonnes nouvelles pour vous !

2▷ Pendant plus de cinq ans, Georges CARTIER a assuré la gestion de votre compte chez nous. Je suis certain que vous serez heureux d'apprendre la bonne nouvelle qui le concerne. En effet, compte tenu de ses performances, Georges vient d'être nommé Directeur de la région sud de DATA COMPUTER.

3▷ Cependant, ce n'est pas parce que Georges ne s'occupera plus de votre compte que vos excellentes relations avec DATA COMPUTER sont menacées.

4▷ Georges et moi avons le plaisir de vous annoncer une autre bonne nouvelle : la nomination de Christine GRAIN au service de votre compte. Christine fait partie de notre équipe commerciale depuis trois ans et Georges s'est chargé lui-même de sa formation au cours des six derniers mois. L'excellent bagage informatique, la parfaite connaissance de nos produits, et la conscience professionnelle dont fait preuve Christine vous assurent un service de haute qualité.

5▷ Souhaitant vous présenter personnellement Christine, afin de m'assurer que tout se passe bien, je vous contacterai bientôt pour que nous décidions ensemble d'un rendez-vous à votre convenance.

Veuillez agréer, Monsieur, mes salutations distinguées.

1▷ *Commencez par une affirmation intéressante.*

2▷ *Annoncez de manière positive la mutation du représentant commercial.*

3▷ *Assurez le client qu'il ne perdra rien au change.*

4▷ *Mentionnez l'ancienne personne lors de l'annonce de son remplaçant. Soyez extrêmement positif et enthousiaste à l'égard du changement.*

5▷ *Montrez que vous vous intéressez personnellement au bien-être du client.*

ANNONCE DE LA PARU-TION D'UN CATALOGUE OU D'UNE BROCHURE

Cher client de L'INTERCRISTALLIERE,

> Permettez-moi de vous demander une faveur ?

1> *L'appel et la question établissent un lien entre l'annonceur et le lecteur.*

> En tant que responsable de la communication à L'INTERCRISTALLIERE, je mets actuellement ma place en jeu ! Vous-même, en tant que client fidèle de L'INTERCRISTALLIERE, êtes le seul à pouvoir m'aider.

2> *Provoquer l'intérêt du lecteur.*

> Voilà, j'ai décidé que le temps était venu d'abandonner notre ancien catalogue noir et blanc. Il ne mettait absolument pas en valeur les couleurs et les formes magnifiques des pierres et des cristaux que nous proposons.

Ainsi, j'ai convaincu mon patron de dépenser une fortune pour refaire entièrement ce catalogue en couleurs. Par conséquent, si les ventes n'augmentent pas, je risque d'avoir de gros problèmes. En tous cas, le catalogue est là et même le patron le trouve superbe.

3> *Les détails personnels retiennent l'attention.*

> La faveur que je vous demande ? Acceptez de le regarder en détail. Vous y trouverez les cristaux les plus extraordinaires que nous vous ayons jamais présentés.

Après avoir feuilleté le catalogue, vous ne résisterez pas à commander une de nos pièces. Vous ne serez pas déçu de votre achat et moi, je ne décevrai pas mon patron.

4> *Expliquez l'action souhaitée. Avancez un avantage à en tirer.*

> N'attendez pas pour consulter le catalogue ! Ne laissez pas passer la chance de découvrir ces merveilles de la nature et de m'aider à conserver mon emploi. Cordialement.

5> *Incitez le lecteur à agir immédiatement.*

> P.-S. : page 14, vous trouverez trois cristaux très rares qui viennent d'être découverts et sont présentés pour la toute première fois.

6> *Mentionnez un numéro de page afin d'attirer davantage le lecteur vers le catalogue ou la brochure.*

6 ANNONCE D'UNE VENTE SPÉCIALE

1▷ Cher client fidèle,

2▷ Une fois par an, nous invitons nos meilleurs clients à une soirée de vente en avant-première... et comme nous vous comptons parmi nos meilleurs clients, vous êtes cordialement invité !

3▷ Jeudi prochain, nous organisons notre plus grande vente de l'année. Mais avant qu'elle ne soit ouverte au public, nous offrons à nos clients préférés l'occasion de venir faire des AFFAIRES. Nous vous proposons un grand choix d'offres intéressantes, sans les inconvénients de la foule.

4▷ Surtout ne laissez pas passer une telle chance et acceptez de vous joindre à nous mercredi soir. Les portes resteront ouvertes de 19 h à 22 h.

5▷ A très bientôt.

6▷ P.-S. : nous venons de recevoir plus de 200 magnifiques parures de bijoux. Ces superbes joyaux seront mis en vente mercredi soir uniquement, alors venez tôt !

1▷ *Le client se sent apprécié dès l'appel.*

2▷ *Annoncez la vente et invitez le client.*

3▷ *Présentez votre offre sous forme de privilège accordé au client.*

4▷ *Fournissez les détails nécessaires concernant la vente.*

5▷ *Terminez par une formule accueillante.*

6▷ *Attisez l'intérêt du lecteur en lui annonçant l'arrivée d'une nouvelle marchandise et en mentionnant les conditions de vente.*

7 FIDÉLISER LA CLIENTÈLE D'UN GRAND MAGASIN

Cher client fidèle des SUPER GALERIES,

1> *L'appel remémore au lecteur l'existence d'un lien déjà établi.*

MERCI, MILLE FOIS MERCI.

Votre clientèle a permis aux SUPER GALERIES de réaliser l'an dernier ses meilleures ventes depuis leur création. Sans vous, cela n'aurait pas été possible.

2> *Remerciez le client pour ses achats précédents.*

En témoignage de notre reconnaissance, nous avons décidé, aux SUPER GALERIES, d'organiser ce que nous appelons le « Grand Jour des Affaires » et, naturellement, vous y êtes invité !

3> *Invitez le client à participer à un événement particulier ou à une offre spéciale.*

Pendant les 10 semaines à venir, nous vous présenterons chaque mercredi des articles exceptionnels.

4> *Faites une promotion enthousiaste.*

Les réjouissances débuteront le mercredi 23 courant, à 12 h au troisième étage.

5> *Décrivez l'événement ou l'offre.*

- Vous assisterez à la présentation de la collection Printemps/Eté.
- Vous apprendrez comment organiser un cocktail élégant.
- Vous rencontrerez l'auteur de « *Comment monter sa propre entreprise avec moins de 5 000 F* ».
- De nombreuses surprises vous attendent, que vous ne voudrez certainement pas manquer.

Nous proposerons en outre des centaines d'articles, le mercredi et le mercredi seulement !

6> *Mentionnez l'avantage de bénéficier de prix réduits.*

N'oubliez pas de noter ce jour sur votre calepin, ainsi que tous les mercredis suivants, afin de vous réserver des après-midi de bonheur aux SUPER GALERIES. Vous ne serez pas déçu.
A bientôt.

7> *Rappelez au client de noter la date.*

P.-S. : je me réjouis personnellement de vous accueillir ainsi aux mercredis des SUPER GALERIES et je vous remercie d'avance pour vos achats.

8> *Terminez en exprimant votre reconnaissance personnelle.*

8 RENOUVELLEMENT D'ABONNEMENT

1▷ Cher abonné,

2▷ Vous avez encore la chance de pouvoir renouveler votre abonnement à *Maison décor*, sans en rater un numéro.

3▷ Cette année encore, *Maison décor* vous a présenté des centaines d'idées novatrices qui ont révolutionné le monde de la décoration. Vous avez ainsi pu découvrir des articles tels que :

- Comment séduire votre partenaire avec un éclairage sexy.
- La thalassothérapie dans votre salle de bains.
- Les couleurs du sommeil.
- L'agencement d'un salon chaleureux.

Nous sommes convaincus que chaque prochain numéro de *Maison décor* vous apportera toute la satisfaction et l'enthousiasme que procure une exaltante lecture.

4▷ Ne manquez pas un seul article. Renouvelez votre abonnement maintenant et bénéficiez de notre offre spéciale exceptionnelle.

5▷ Choisissez l'offre qui vous convient le mieux, en mettant une croix dans la case correspondante :

- ☐ abonnement d'un an, soit une économie de 33 %.
- ☐ abonnement de 2 ans, soit une économie de 42 %.
- ☐ abonnement de 3 ans, soit une économie de 52 %.
- ☐ abonnement de ... ans, soit une économie de 60 % (inscrivez vous-même le nombre d'années qui vous convient).

1▷ *Personnalisez l'appel.*

2▷ *Renforcez le besoin.*

3▷ *Mentionnez les caractéristiques les plus frappantes des anciens numéros afin de motiver le renouvellement d'abonnement.*

4▷ *Présentez une offre spéciale.*

5▷ *Expliquez le tarif préférentiel. Attirez le client par un choix multiple.*

▷ N'envoyez pas d'argent. Retournez simplement le bon de commande dans l'enveloppe préaffranchie et payez plus tard.

▷ Faites vite ! Nous sommes prêts à vous envoyer le prochain numéro de *Maison Décor* , afin que vous ne manquiez aucune des grandes tendances de la décoration d'intérieur.

Cordialement.

▷ P.-S. : découvrez notre nouvelle rubrique mensuelle *La décoration en kit,* qui débutera dans le prochain numéro !

6▷ *Facilitez la réponse.*

7▷ *Soulignez l'avantage de ne pas interrompre l'abonnement.*

8▷ *Mentionnez un argument supplémentaire.*

9 RELANCE D'UN CLIENT INACTIF

Cher —— ,

1> Je n'en crois pas mes yeux…

2> J'ai vérifié à deux reprises, mais c'est bien vrai. Vous ne nous avez pas commandé de fleurs en soie depuis plus d'un an.

Chaque fois que je découvre qu'un bon client tel que vous ne se manifeste plus, je m'inquiète. Perdre un bon client, c'est comme perdre un ami. Est-ce une faute de notre part ? Si c'est le cas, je me ferai un plaisir de la réparer.

3> Notre nouvelle collection d'automne vient juste-ment d'arriver. C'est la plus surprenante, la plus colorée et certainement la plus créative des collec-tions de fleurs en soie jamais présentée. Je suis cer-tain que vous ne voudrez pas la manquer.

4> Une réduction spéciale de 20 % vous est offerte sur votre prochaine commande.

5> Je vous invite à venir voir par vous-même cette superbe nouvelle collection. Mais si vous ne sou-haitez pas vous déplacer, il vous suffit de nous trans-mettre votre commande par téléphone, vous béné-ficierez de toute façon de ces 20 % de remise.

Dans l'espoir de vous servir prochainement, veuillez croire, Monsieur, à l'expression de mes sen-timents les meilleurs.

1> *Commencez par attirer l'attention.*

2> *Exprimez votre sur-prise à la pensée de perdre la clientèle du lecteur.*

3> *Décrivez un nou-veau produit ou servi-ce pour susciter l'inté-rêt.*

4> *Incitez le client à acheter à nouveau.*

5> *Suggérez amicale-ment au client de venir vous voir ou de vous appeler.*

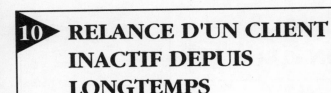

10 ▶ RELANCE D'UN CLIENT INACTIF DEPUIS LONGTEMPS

Cher —— ,

1▷ NOUS VOUS CONTACTONS POUR LA DERNIÈRE FOIS !

2▷ Si vous ne répondez pas, nous supposerons que vous n'avez plus besoin des POLYEXTRUSIONS REDCO. Et nous ne vous importunerons plus.

3▷ Mais nous ne pouvons pas vous cacher notre surprise et notre déception. Nous perdons un client fidèle et estimé.

4▷ L'année dernière, vous nous avez commandé des extrusions tous les mois. Vous avez loué la haute qualité et le faible prix de nos articles. Pourtant votre dernière commande date de plus d'un an.

5▷ Avant d'abandonner tout espoir, nous avons décidé de vous adresser cette dernière lettre. Nous vous prions de bien vouloir nous communiquer les raisons de votre silence. Peut-être avons nous commis une erreur, auquel cas nous serions reconnaissants de nous faire savoir laquelle.

Dans l'attente de votre réponse, veuillez agréer, Monsieur, nos meilleures salutations.

1▷ *Utiliser cette formule en dernier recours, après que plusieurs efforts sont restés vains pour contacter le client.*

2▷ *Une menace en douceur amène généralement le client « perdu » à lire au moins la lettre.*

3▷ *Exprimez votre désappointement d'une manière personnelle.*

4▷ *Rappelez au client les avantages qu'il appréciait auparavant.*

5▷ *Montrez que vous souhaitez sincèrement rétablir la situation.*

11 ▶ RELANCE D'UN ANCIEN DONATEUR

1▷ Cher ami,

2▷ <u>Les gens généreux comme vous se font rares.</u>

3▷ L'année dernière, cette générosité a permis à Jacques Pierre (photo ci-jointe), ainsi qu'à d'autres enfants comme lui, d'affronter paisiblement les derniers instants de leur vie.

4▷ Comme vous le savez, la fondation *Il Était Une Étoile* s'attache à accomplir les vœux et les rêves des enfants souffrant de maladies très graves. Ces enfants conservent ainsi un petit espoir et des souvenirs heureux pendant les jours qu'il leur reste à vivre.
L'année dernière, votre contribution, et celle d'autres personnes charitables telles que vous, nous ont aidé à réaliser le rêve de plus de 150 enfants en détresse.

5▷ Nous faisons à nouveau appel à votre générosité. Notre programme dépend de votre contribution. Cette année, nous avons besoin de toute l'aide que vous pourrez nous donner, car notre programme compte plus d'enfants que jamais.

▷ Aidez-nous à accomplir les vœux de chacun d'entre eux. Nous vous prions de nous retourner dès à présent votre don dans l'enveloppe ci-jointe.

▷ D'avance nous vous remercions et vous prions de croire, Monsieur, à nos sentiments les meilleurs.

1▷ *Personnalisez l'appel.*

2▷ *Commencez par une affirmation personnelle.*

3▷ *Félicitez le donateur pour son aide précédente.*

4▷ *Décrivez l'œuvre de charité.*

5▷ *Demandez l'aide du donateur. Soulignez-en l'importance. Personnalisez la demande autant que possible. Le lecteur doit sentir que le programme dépend de sa générosité.*

6▷ *Expliquez au lecteur ce qu'il doit faire.*

7▷ *Terminez en présumant que le lecteur enverra un don.*

12 ▸ DEMANDE DE RÉFÉRENCES

Cher —— ,

1▸ Je viens de recevoir votre commande, la troisième de cette année, et je vous en remercie. Voici bientôt plus de huit ans que nous nous connaissons et je vous considère comme l'un de mes plus fidèles clients.

2▸ Permettez-moi de vous demander une faveur. En tant que client de LA CHAPELIERE, vous savez que nous sommes le meilleur fabricant de chapeaux de France. Vous avez toujours apprécié nos tarifs très compétitifs et la qualité de nos services. Leader dans votre secteur, vous connaissez certainement et êtes sans doute en bonnes relations avec de nombreuses sociétés susceptibles d'être intéressées par nos produits. Si vous acceptiez de nous servir de référence, nous aurions certainement plus de poids.

3▸ Certaines personnes refusent ce service par principe. Si vous partagez ce sentiment, nous comprendrons. Si toutefois vous acceptiez, nous vous en serions très reconnaissants.

4▸ Je vous contacterai par téléphone la semaine prochaine pour prendre connaissance de votre décision. Quelle qu'elle soit, je resterai à votre entière disposition.

5▸ Cordialement.

1▸ *Remerciez le client pour sa fidélité. Ajoutez une note personnelle et amicale.*

2▸ *Demandez la référence.*

3▸ *Donnez au client le choix d'accepter ou de décliner la requête.*

4▸ *Prévenez le client de votre prochain appel, et exprimez votre désir de maintenir vos relations commerciales.*

5▸ *Terminez avec une formule amicale.*

V. Lettres de service après-vente

Le meilleur atout d'une société, c'est sa clientèle. Pour conserver ses clients, une société doit assurer un service de qualité. En effet, la faiblesse et le manque de dynamisme d'un service sont plus fatals que la concurrence acharnée.

Les lettres de service à la clientèle constituent la partie essentielle de tout programme de service après-vente. Pour être efficace, ce type de courrier doit être *positif, compréhensif* et *personnalisé*.

Une lettre de service après-vente positive est une lettre qui répond immédiatement aux questions posées par le client, et considère les problèmes rencontrés par ce dernier. S'il n'est pas possible de fournir rapidement une réponse ou une solution, le client doit être informé du moment exact où il obtiendra les renseignements demandés. *Tout est question de rapidité.* Autant que possible, envoyez votre réponse le jour même où vous découvrez le problème. Une réponse rapide témoigne du respect de la société pour son client et de l'intérêt qu'elle lui porte. Le client sait ainsi qu'il a affaire à un organisme professionnel.

Parfois, il est plus efficace de se montrer *compréhensif* que d'apporter la solution au problème. Être compréhensif, c'est se mettre à la place du client et considérer le problème de son point de vue. Lorsqu'un client vous expose un problème, répondez que vous comprenez sa réaction et que son mécontentement est justifié. Expliquez-lui que vous réagiriez de la même façon si vous étiez dans sa situation. Ainsi vous désarmerez instantanément votre interlocuteur. En lui coupant l'herbe sous le pied, le plus souvent vous gagnerez sa confiance et en ferez un client fidèle. On dit avec bon sens que « le client a toujours raison » ; il serait même sage d'ajouter qu' « en cas de problème, le client a *forcément* raison ». Les personnes à qui l'on cause du tort veulent qu'on leur présente des excuses, elles ne souhaitent pas entendre de justifications. *Par conséquent, présentez toujours vos excuses, que vous soyez en tort ou non.* N'hésitez pas sur les moyens employés pour faire amende honorable. Proposez un numéro vert, une expédition gratuite, une enveloppe de réponse préaffranchie, un bon cadeau, etc. afin de montrer à votre client que vous compatissez à sa situation. Quel qu'en soit le coût, vous rentrerez rapidement dans vos frais car vous gagnerez un client fidèle.

Personnalisez votre courrier. Rien n'agace davantage un client déjà mécontent que de recevoir une lettre circulaire. Mentionnez votre nom et suggérez au lecteur de vous contacter par téléphone si le problème n'est pas résolu de manière satisfaisante. Inutile de dire que la lettre doit être tapée personnellement et que le nom du client doit apparaître dans l'appel.

Avec une lettre de service à la clientèle rédigée sur un ton positif, compréhensif et personnalisé, vous êtes assuré de résoudre rapidement le problème et de transformer un client mécontent en un client fidèle.

RÉPONSE A UNE RÉCLAMATION JUSTIFIÉE

Cher ⸺ ,

> Après examen de la situation que vous m'avez décrite dans votre courrier daté du 23 juillet courant, il m'est apparu que vous avez entièrement raison.

> Votre commande n'a pas été expédiée, par suite d'une erreur dans notre comptabilité. Il est certain que vous n'avez *jamais* représenté un risque, votre compte chez nous ayant toujours été approvisionné.

> Je vous prie donc de bien vouloir accepter toutes mes excuses. Soyez assuré que notre service de comptabilité a rectifié cette erreur. Vous disposerez désormais d'une limite de crédit de 250 000 F, soit un montant de 75 000 F supérieur à votre ancien crédit.

> Par ailleurs, j'ai personnellement informé le dépôt de préparer l'expédition de votre commande du 7 juillet pour laquelle nous nous engageons à supporter les frais de transport.

> Veuillez accepter mes excuses, et me faire savoir si je puis vous être utile en quoi que ce soit. Restant à votre entière disposition, je vous prie d'agréer, Monsieur, mes sincères salutations.

1> *Désarmez le client en vous montrant d'accord avec lui.*

2> *Décrivez l'erreur.*

3> *Présentez vos excuses et assurez le client que l'erreur ne se reproduira plus.*

4> *Expliquez comment l'erreur a été réparée. Si possible, offrez au client un petit plus afin de faire amende honorable.*

5> *Reformulez vos excuses.*

2 RÉPONSE A UNE RÉCLAMATION NON JUSTIFIÉE

Cher —— ,

▷1 J'ai bien reçu votre courrier du 21 janvier courant, dont je vous remercie, et dans lequel vous me dites trouver « injuste » le refus de notre service de crédit à vous accorder un crédit sur votre dernière commande.

▷2 Permettez-moi de vous assurer que tous nos dossiers de demande de crédit sont étudiés avec le plus grand soin. Toutefois, les références que vous nous avez fournies apparaissent insuffisantes au vu de nos critères.

▷3 Si vous pouviez nous faire parvenir un complément d'informations, nous serions heureux de revoir notre position.

▷4 Dans l'attente de votre réponse, nous vous serions obligés de régler vos commandes à la livraison.

▷5 Nous restons à votre entière disposition et vous prions d'agréer...

▷1 Remerciez le client de son courrier et décrivez le problème.

▷2 Expliquez la raison de votre refus.

▷3 Offrez la possibilité au client d'envoyer un complément d'informations.

▷4 Expliquez au client ce qu'il doit faire.

▷5 Exprimez votre désir de maintenir les relations.

3 RÉPONSE POUR FAIRE PATIENTER LE CLIENT

>

Cher —— ,

> Je viens de recevoir votre courrier du 17 novembre courant, et je suis navré d'apprendre que vous n'êtes pas satisfait de nos services.

> Vous avez apparemment tenté en vain de contacter notre service commercial au sujet de votre commande datant du 15 septembre. Cette commande a trois semaines de retard, et personne n'a été en mesure de vous communiquer une date de livraison définitive. En outre, nombre de vos appels n'ont reçu aucune réponse.

> J'avoue qu'il est inexcusable de traiter un client de cette manière, notamment un client fidèle comme vous. Je m'engage à examiner la situation personnellement et à vous contacter vendredi matin pour vous confirmer la date de votre livraison.

> Vous remerciant d'avoir porté ce problème à mon attention, je vous prie d'accepter toutes mes excuses et de croire...

1▷ *NOTE : il s'agit d'un problème pour lequel vous ne disposez pas de tous les éléments de réponse nécessaires.*

2▷ *Reconnaissez l'erreur et présentez vos excuses.*

3▷ *Décrivez la situation telle que vous la comprenez.*

4▷ *Manifestez votre souci à l'égard du client et indiquez que vous allez résoudre le problème.*

5▷ *Présentez à nouveau vos excuses.*

4 RÉPONSE EN CAS DE MAUVAIS COMPORTEMENT D'UN EMPLOYÉ

Cher —— ,

1> Je vous remercie d'attirer mon attention sur le manque de courtoisie dont a fait preuve un membre de notre personnel à votre encontre, la semaine dernière au téléphone. Je souhaiterais vous présenter personnellement toutes nos excuses en vous priant de croire que ce genre d'incident malheureux ne se répétera pas.

2> J'ai parlé à l'employé en question et pris les mesures nécessaires afin que ce dernier adopte un comportement adéquat. Je puis vous assurer qu'il se rend compte de la gravité de son erreur.

3> Notre personnel téléphonique connait la valeur de clients tels que vous, et il est formé à traiter toutes vos demandes et problèmes avec efficacité et professionnalisme. Je dois malheureusement avouer que nous ne sommes pas à l'abri des erreurs.

4> Dans l'espoir de pouvoir continuer à vous satisfaire, je vous prie d'accepter mes excuses et de croire...

1> Commencez par remercier le client d'attirer votre attention sur le problème. Montrez un intérêt sincère à son égard.

2> Expliquez les mesures prises pour résoudre le problème.

3> Indiquez que le problème est inhabituel et que votre personnel a reçu une formation professionnelle.

4> Reformulez vos excuses et soulignez votre désir de maintenir de bons rapports.

5 RÉPONSE EN CAS DE PRODUIT DÉFECTUEUX

Cher —— ,

▷ Nous vous remercions de nous avoir avisé du dysfonctionnement de votre lave-vaisselle. Nous comprenons très bien qu'il est désagréable d'avoir des problèmes avec un article neuf. Nous nous engageons à faire réparer votre lave-vaisselle dans les plus brefs délais.

▷ Le lave-vaisselle que vous venez d'acheter est l'un des modèles les plus performants sur le marché et nous sommes surpris d'apprendre qu'il puisse être défectueux.

▷ Au moment même où je vous écris cette lettre, nos meilleurs techniciens s'apprêtent à prendre contact avec vous afin de convenir d'un rendez-vous pour effectuer les réparations nécessaires. Naturellement, votre lave-vaisselle est sous garantie et vous n'aurez à subir aucun frais de main d'œuvre.

▷ Vous priant de bien vouloir accepter nos excuses pour la gêne occasionnée, nous vous assurons que nous mettrons tout en œuvre pour vous satisfaire.

Veuillez croire...

1▷ *Présentez vos excuses et montrez votre compréhension à l'égard du client. Assurez-le d'apporter une solution rapide au problème exposé.*

2▷ *Mentionnez que l'incident est inhabituel.*

3▷ *Expliquez comment et quand le problème sera résolu.*

4▷ *Formulez à nouveau vos excuses, et soulignez votre souci de la clientèle.*

6 RÉPONSE A UN PROBLÈME QUI DÉPASSE VOTRE RESPONSABILITÉ

Cher —— ,

1> Je suis navré d'apprendre les problèmes de livraison que vous avez rencontrés mardi et mercredi derniers. Je comprends qu'il n'y a rien de plus frustrant que d'attendre en vain durant des heures.

2> Comme vous le savez, le transport n'est pas assuré par nos soins, mais par un service de livraison rapide. Nous sommes donc au regret de vous signaler que nous ne saurions être tenus pour responsables de leur manque de professionnalisme.

Vos meubles étaient effectivement prêts à partir de notre dépôt mardi matin. Le livreur n'est toutefois pas arrivé avant jeudi matin.

3> Nous adressons immédiatement un courrier au service de livraison, afin de mettre fin à notre collaboration.

4> Nous vous prions encore d'accepter toutes nos excuses et de croire...

1> *Présentez vos excuses même si vous n'êtes pas responsable.*

2> *Expliquez pourquoi vous n'êtes pas responsable.*

3> *Indiquez que vous soutenez le client et avez pris les mesures qui s'imposent.*

4> *Terminez en présentant à nouveau vos excuses.*

ANNONCE D'UNE RUPTURE DE STOCK

Cher —— ,

> Je vous remercie de votre commande pour les assortiments de décorations de Noël ÉLITE. Malheureusement, en raison de leur popularité, nous sommes momentanément en rupture de stock.

1> *Remerciez le client de sa commande et informez-le de votre rupture de stock.*

> Nous attendons un nouvel approvisionnement dans un délai de quinze jours. Si vous ne souhaitez pas attendre, nous vous proposons de commander l'assortiment DELUXE, que nous avons en stock. L'assortiment DELUXE est le même que l'ÉLITE, à cette différence près qu'il ne comporte pas d'étoiles à cinq branches.

2> *Annoncez le délai de livraison et proposez une autre option.*

> Nous tenons à votre disposition un lot d'assortiments DELUXE pour lequel nous vous offrons une remise supplémentaire de 10 %. Nous vous prions de nous informer de votre décision concernant cette commande.

3> *Informez le client de vos intentions et de ce que vous attendez en retour.*

> Veuillez accepter nos excuses pour le désagrément, et soyez assuré que le problème ne se répétera pas car nous nous engageons désormais à disposer d'un stock plus important d'assortiment ÉLITE.

4> *Présentez vos excuses et indiquez que la situation ne se représentera pas.*

> Dans l'attente de votre réponse, nous vous remercions encore de votre commande et vous prions de croire...

5> *Remerciez encore le client de sa commande.*

MINIMUM REQUIS POUR UNE COMMANDE

Cher —— ,

1> J'ai bien reçu votre commande datée du 20 octobre courant pour 10 rames de papier A4 dont je vous remercie.

2> En tant que nouveau client, il se peut que vous ignoriez que nous ne pouvons honorer les commandes inférieures à 1 000 F. Votre commande n'atteint pas ce minimum requis.

3> Le faible prix de nos produits étant assuré par le volume des commandes, nous ne pouvons accepter des commandes inférieures au minimum fixé.

4> Nous vous envoyons ci-joint la liste complète de nos tarifs de papeterie. Je suis certain que vous y trouverez d'autres articles dont vous avez besoin, permettant à votre commande d'atteindre 1 000 F.

5> En vous remerciant de l'intérêt que vous portez à notre établissement, nous vous prions de croire...

1> *Prenez la commande en compte et remerciez le client.*

2> *Informez le client avec diplomatie du montant minimum requis par commande.*

3> *Expliquez l'avantage de ce minimum pour le client.*

4> *Offrez la possibilité au client d'augmenter sa commande.*

5> *Exprimez vos remerciements.*

Note : il est également possible de satisfaire le client tout en l'informant du minimum requis pour sa prochaine commande.

ANNONCE D'UNE HAUSSE DE TARIF

> Cher client fidèle,

> La dernière des choses dont je souhaite vous faire part est bien l'augmentation de nos prix. Comme vous le savez, nous avons augmenté nos tarifs trois fois seulement au cours de ces 10 dernières années. Mais, compte tenu des augmentations régulières du coût des matériaux, nous ne sommes plus en mesure de maintenir nos prix.

> Nous espérons qu'en vous avisant à l'avance, vous aurez le temps de vous constituer un stock à l'ancien prix.

> Je suis certain que vous serez heureux d'apprendre que cette augmentation s'élève à 3 % seulement, et s'applique uniquement aux articles figurant sur la liste ci-jointe. Aucun autre prix ne change.

> <u>En dépit de cette hausse, vous constaterez que nos prix restent en dessous de ceux pratiqués par la concurrence.</u>

> Je vous remercie de votre fidélité et de votre compréhension et vous assure de maintenir ces nouveaux tarifs aussi longtemps que possible.

Cordialement.

1> *Soulignez l'importance du client dans l'appel.*

2> *Montrez votre gêne et votre réticence à augmenter vos tarifs.*

3> *Prévenez votre client à l'avance, afin qu'il ait le temps de s'adapter.*

4> *Si la hausse est faible, présentez-la comme un avantage.*

5> *Le cas échéant, mentionnez la compétitivité de vos prix.*

6> *Assurez le client de votre engagement à maintenir vos tarifs au plus bas.*

10▶ ANNONCE D'UNE BAISSE DE TARIF

1▷ Cher client fidèle,

2▷ C'est avec le plus grand plaisir que je vous informe de la baisse de nos tarifs.

Mais oui, vous avez bien lu. Nos prix vont baisser !

3▷ Je tiens à vous remercier pour votre contribution à cet événement, car c'est à notre clientèle que nous devons d'avoir pu augmenter notre production et par conséquent de réduire considérablement nos coûts de fabrication. Je me réjouis donc de vous faire bénéficier des économies ainsi réalisées.

4▷ A compter du 1er juillet, notre verrerie affichera une réduction de 10 %, et les articles en cristal une réduction de 5 %. Cette baisse sera maintenue pendant trois mois, jusqu'à la fin du mois d'octobre.

5▷ Attention : les nouveaux tarifs seront valables pour une durée limitée seulement. Faites vite !

Cordialement.

1▷ *Employez un ton amical pour l'appel.*

2▷ *Montrez-vous enthousiaste dans la présentation de votre information.*

3▷ *Remerciez le client de sa fidélité.*

4▷ *Expliquez la nouvelle structure de vos tarifs.*

5▷ *Incitez le client à agir rapidement pour bénéficier de la baisse des prix.*

ACCORD DE RETOUR DE MARCHANDISE

Cher ——— ,

> Nous sommes navrés d'apprendre que les couteaux que vous avez reçus récemment se décolorent.

> Afin de remédier au mieux à ce problème, nous nous engageons à remplacer votre marchandise. Veuillez nous retourner les pièces défectueuses à nos frais, nous vous enverrons un nouveau jeu de couteaux ainsi qu'un bon de réduction de 25 F sur votre prochaine commande. La Coutellerie SCHMOLL vous prie ainsi de bien vouloir l'excuser pour la gêne occasionnée.

> Après examen de la situation, nous avons découvert que l'un des lots expédiés par le fabricant était défectueux. Soyez assuré de la parfaite qualité des prochains articles que vous recevrez.

> La Coutellerie SCHMOLL est très attachée à la satisfaction de ses clients. Nous sommes certains que vous serez content de vos nouveaux couteaux. Toutefois, s'il y avait un quelconque problème, je vous prie de bien vouloir m'en aviser personnellement.

> Dans l'espoir de pouvoir continuer à vous servir, veuillez agréer...

1> Mentionnez le problème.

2> Expliquez comment vous allez résoudre le problème. Facilitez le retour de la marchandise au client.

3> Rassurez le client au sujet de la qualité du produit de remplacement.

4> Garantissez personnellement au client qu'il sera satisfait.

5> Terminez sur une note positive.

REFUS DE RETOUR DE MARCHANDISE

Cher —— ,

1▷ Nous avons été navrés d'apprendre que le matériel Hi-Fi que vous avez acheté chez nous ne fonctionne pas correctement.

2▷ Comme vous le savez, cet équipement vous a été vendu "en solde" à un prix considérablement réduit. Lors de l'achat, vous avez été informé de l'impossibilité d'échanger les articles en solde. Il vous a donc été permis de vérifier le matériel dès son installation chez vous, et de nous contacter en cas de problème. Il y a maintenant trois mois que vous avez fait cet achat.

Je vous adresse ci-joint une copie de notre contrat de vente sur lequel vous trouverez les conditions de vente et votre signature.

3▷ Je suis certain que vous comprendrez, selon les termes de ces conditions, que nous ne pouvons accepter de vous remplacer la marchandise.

4▷ Vous pouvez faire réparer votre matériel auprès de notre centre technique ou d'un autre service compétent. Si vous choisissez nos services, nous serons heureux de vous offrir une remise de 25 % sur le prix de la réparation. Dans le cas contraire, vous trouverez ci-joint une liste des autres services compétents dans votre région.

Veuillez agréer...

1▷ *Montrez votre compréhension à l'égard du problème du client.*

2▷ *Expliquez la politique de votre établissement.*

3▷ *Refusez clairement et fermement le retour de la marchandise.*

4▷ *Montrez votre bonne volonté en fournissant des renseignements.*

13 ▸ OFFRE DE RÉDUCTION SUR UN VOLUME D'ACHAT

Cher ——— ,

> Nous vous remercions de votre commande du 8 mai courant pour 15 cassettes correctrices machine-à-écrire.

1▷ Remerciez le client de sa commande.

> Compte tenu du nombre de cassettes commandées, vous avez droit à une réduction de 5 %. Saviez-vous par ailleurs que si vous commandez 4 cassettes supplémentaires, soit un total de 19 articles, vous pourrez bénéficier d'un rabais de 10 %.

2▷ Expliquez le système de réduction.

> Nous vous prions de nous aviser de votre décision afin de vous livrer rapidement.

3▷ Invitez le client à augmenter sa commande et à agir rapidement.

> Pour votre information personnelle, voici notre structure de prix :

4▷ Informez le client de votre tarification en fonction du volume d'achat.

Quantité	Réduction
1-5	aucune
6-18	5 %
19-47	10 %
48-95	15 %
96-149	20 %
150 ou plus	25 %

Pour toute commande supérieure à 500 unités, veuillez vous renseigner par téléphone.

> Vous remerciant encore pour votre commande, veuillez croire...

5▷ Remerciez encore.

ANNONCE DE LA FIN D'UN SERVICE

Cher —— ,

▷1 Comme vous le savez, BREVET COMMUNICATION met à votre disposition un service de conseil et de recherches en matière d'enregistrement de brevets à moindre coût. Ce service doit son succès à l'aide que nous apportons à nos clients pour réduire leurs frais et fournir rapidement les renseignements dont ils ont besoin.

▷2 Afin de répondre aux besoins de nos clients, nous utilisons les services rapides de la poste. Jusqu'à aujourd'hui, nous avons réussi à absorber ces frais.

▷3 Le coût des services rapides ayant augmenté, de même que la fréquence avec laquelle nous y avons recours, nous nous voyons obligés de demander une participation à notre clientèle. Ces frais seront facturés séparément, sans majoration.

▷4 Cette nouvelle politique doit nous permettre de maintenir nos tarifs à leur niveau actuel.

▷5 D'avance, nous vous remercions pour votre compréhension et vous prions de croire...

▷6 P.-S. : nous attirons votre attention sur le fait que nous faisons appel aux services rapides les moins chers sur le marché.

▷1 *Décrivez votre activité et soulignez les avantages que le client a pu apprécier par le passé.*

▷2 *Expliquez la nature du service qui va changer.*

▷3 *Informez le client de ce que vous allez faire exactement.*

▷4 *Soulignez le fait que le changement n'altérera en rien la qualité du service.*

▷5 *Remerciez le client d'accepter le changement.*

▷6 *Assurez le client que le prix à payer sera toujours le plus bas possible.*

15 ANNONCE DE FERME-TURE ANNUELLE

Cher —— ,

> La bagagerie ATLAS sera fermée pour les congés annuels du 2 au 16 août. Aucune transaction ne sera donc possible pendant cette période.

> Comme vous le savez, cette année a été particulièrement riche en événement chez ATLAS. Nous avons élargi notre unité de production de 20 %, augmenté notre personnel, et réduit de deux jours en moyenne les délais entre la réception et l'expédition de vos commandes.

Ces améliorations vous garantissent un service de qualité supérieure à celle que vous connaissez depuis plus de 20 ans.

> Après une telle activité, deux semaines de congé seront les bienvenues. Nous serons de retour le 17 août, frais et dispos pour vous servir.

> Nous vous remercions de votre fidélité à ATLAS et vous prions de croire...

> P.-S. : en cas d'urgence pendant la période de fermeture, veuillez contacter le numéro suivant ... N'hésitez pas à passer vos commandes avant cette période.

|1> *Informez le client de la période de fermeture à l'avance, avec les dates exactes.*

|2> *Profitez de cette occasion pour dire quelque chose de positif sur votre entreprise.*

|3> *Informez le client de la date de réouverture.*

|4> *Remerciez le client de sa fidélité.*

|5> *Expliquez ce qu'il faut faire en cas d'urgence.*

VI. Lettres d'intention

Les lettres d'intention s'adressent aux clients, aux partenaires commerciaux, et aux amis auxquels vous souhaitez exprimer votre intérêt et votre souci de leur bien-être. Si les lettres d'intention ne sont pas considérées faire partie de la correspondance commerciale, elles permettent d'asseoir des relations déjà établies et d'améliorer les moins développées.

Certains organismes commerciaux incluent des messages de vente dans ce type de correspondance. Mieux vaut éviter cette pratique, car elle remet en question les véritables motifs du courrier. **Tout ce que vous souhaitez transmettre à votre interlocuteur, c'est l'intérêt sincère que vous lui portez.** Ce dernier appréciera et se souviendra de cette attention particulière.

Voici quelques principes de rédaction à respecter :

- être bref et en venir directement au fait.

- employer un ton personnel. Éviter les formalités.

- être sincère et honnête.

- être opportun et envoyer le courrier aussi ponctuellement que possible.

- se baser sur des faits. Ne pas présumer des circonstances ou des personnes. Se contenter de ce que l'on sait être vrai.

- bien évaluer le type de relation entretenu avec la personne. Ne pas commettre l'erreur de croire vos relations plus amicales ou plus intimes qu'elles ne le sont en réalité.

REMERCIEMENTS POUR UNE COMMANDE OU UN ACHAT

Cher —— ,

> Vous avez commandé la méthode enregistrée <u>Réussite Immédiate</u> et je vous en remercie. Je me réjouis personnellement de vous accueillir parmi nos nouveaux clients.

> Vous venez de faire un grand pas vers la réalisation de vos rêves. Il est clair que vous vous êtes engagé sur la voie du succès.

> Avec <u>Réussite Immédiate</u>, vous allez découvrir un monde fascinant. Une fois les principes de cette méthode maîtrisés, vous commencerez à les appliquer dans votre vie quotidienne et vous constaterez un changement radical dans votre vie profession-nelle.

> En cadeau de bienvenue, vous allez recevoir, tous les mois pendant un an, notre bulletin complémen-taire <u>Réussite</u>. C'est ainsi que nous remercions nos nouveaux clients chaque mois. Ce bulletin contient de nombreuses idées qui vous permettront de réali-ser vos objectifs. De plus, chaque numéro vous informera sur les autres méthodes enregistrées, pro-posées par le club RÉUSSITE.

> Vous remerciant encore de votre commande, veuillez croire...

1> Remerciez pour la commande ou l'achat et souhaitez la bienve-nue au nouveau client.

2> Félicitez le client pour sa décision d'a-cheter.

3> Dites au client que l'utilisation du produit lui donnera entière satisfaction.

4> Annoncez l'envoi d'informations supplé-mentaires au nouveau client. (Profitez de l'oc-casion pour promou-voir d'autres produits).

5> Terminez en remer-ciant une nouvelle fois le client.

2 REMERCIEMENTS POUR UNE GROSSE COMMANDE OU UN GROS ACHAT

Cher —— ,

1▷ Deux cent cinquante plats à homard ! C'est la plus grosse commande que nous ayons reçu de la part d'un détaillant pour ce produit, et je vous en remercie.

2▷ Votre commande sera expédiée en deux fois. Je vous enverrai les 100 premiers plats d'ici la fin de la semaine et le reste de la commande vous parviendra la semaine prochaine.

3▷ Merci encore de nous confier une commande d'une telle importance. Dans l'espoir que nos plats à homard vous apporteront entière satisfaction, veuillez croire...

P.-S. : nous lançons au printemps un modèle de plat à homard de luxe qui sert également à cuisiner les praires. Je vous en enverrai un échantillon dès que possible.

1▷ Montrez votre enthousiasme et remerciez le client pour sa grosse commande ou gros achat.

2▷ Faites état de la commande.

3▷ Terminez en remerciant à nouveau le client. Exprimez le désir de maintenir de bons rapports.

3 ▸ REMERCIEMENTS POUR FIDÉLITÉ

Cher —— ,

> Nous avons bien reçu votre commande du 22 sep-
tembre pour 125 000 enveloppes 110 x 220 et vous
en remercions.

> Cette commande me rappelle que cela fait déjà
quelques temps que nous avons le plaisir de collaborer. Après vérification, j'ai eu le plaisir de découvrir que votre première commande date d'il y a
quatre ans.

> Votre entreprise a contribué à notre expansion et
nous vous en savons gré. Il est rare dans les affaires
de rencontrer des gens tels que vous, aussi professionnels et agréables.

En vous remerciant encore pour votre commande,
je vous prie de croire...

1▸ *Mentionnez la commande et exprimez vos
remerciements.*

2▸ *Faites un commen-
taire personnel en ce
qui concerne vos rela-
tions commerciales avec
le client.*

3▸ *Terminez toujours
par de nouveaux re-
merciements.*

REMERCIEMENTS DE POLITESSE

Cher ⎯ ,

▷1 J'aimerais vous remercier de la gentillesse que vous m'avez témoignée lors de ma récente visite. Je garde un souvenir mémorable de votre hospitalité.

▷2 J'ai réellement apprécié la visite de votre usine : une installation impressionnante. La promenade dans la vieille ville et le superbe dîner au Clos du Bois ont également été un véritable plaisir.

▷3 Veuillez exprimer toute ma gratitude à Hélène, Eric et Robert. Leur accueil chaleureux m'ont permis de me sentir très à l'aise.

▷4 Je me réjouis à la pensée de vous recevoir à mon tour très prochainement, et je suis certain que le charme de BIENVENUE PLAGE vous séduira.

▷5 Merci encore de votre gentillesse.

Cordialement.

▷1 *Remerciez votre hôte pour son hospitalité.*

▷2 *Mentionnez un ou plusieurs aspects plaisants de votre visite.*

▷3 *Adressez vos remerciements à tous ceux qui vont aider.*

▷4 *Proposez une invitation en retour et montrez votre désir d'entretenir de bonnes relations avec votre interlocuteur.*

▷5 *Employez une formule chaleureuse et amicale.*

Note : cette lettre est rédigée sur ton très personnel. Le degré de familiarité peut varier en fonction de la nature des relations entretenues.

REMERCIEMENTS POUR UN TÉMOIGNAGE (NON SOLLICITÉ)

Cher —— ,

1> Permettez-moi de vous remercier pour le témoignage que vous venez de m'adresser. Vos louanges à l'égard de notre agence commerciale et de son service des ventes sont des plus gratifiantes.

2> Il est rare de voir quelqu'un prendre la peine d'écrire pour exprimer sa satisfaction à l'égard d'un produit ou d'un service. Mais ce sont les personnes comme vous qui justifient un effort particulier de notre part.

3> Je me réjouis de savoir que votre nouveau Coupé Turbo vous satisfait pleinement. J'ai toujours pensé que ce véhicule correspondait idéalement à vos besoins. J'espère donc qu'il vous comblera pendant de nombreuses années.

4> Merci encore pour votre témoignage. Je suis fier d'apprendre que j'ai pu vous être utile.

Cordialement.

1> *Remerciez le client pour son témoignage.*

2> *Accueillez sa démarche avec chaleur et appréciation personnelle.*

3> *Remerciez encore de la manière la plus personnelle possible.*

4> *Employez une formule familière.*

REMERCIEMENTS POUR UN TÉMOIGNAGE (SOLLICITÉ)

Cher —— ,

1▷ Je vous remercie pour le témoignage enthousiaste que vous avez bien voulu me faire parvenir. Je vous suis très reconnaissant d'avoir si gentiment répondu à ma demande de commentaires au sujet de nos produits.

2▷ C'est avec le plus grand plaisir que je me tiens à votre disposition depuis plus de 11 ans, et je suis heureux que vous ayez recommandé nos produits à nombre de vos amis.

3▷ Les clients fidèles tels que vous sont rares et je m'engage à faire tout ce qui en mon pouvoir pour vous assurer de l'excellente qualité de nos produits.

4▷ Vous remerciant à nouveau pour votre superbe témoignage, je vous prie de croire...

1▷ *Remerciez le client d'avoir répondu à votre requête.*

2▷ *Faites un commentaire personnel au sujet du témoignage.*

3▷ *Profitez de l'occasion pour souligner l'aspect positif de vos rapports.*

4▷ *Remerciez à nouveau le client.*

7 REMERCIEMENTS POUR UNE RÉFÉRENCE

Cher —— ,

1> Merci d'avoir bien voulu suggérer à Monsieur DAVID de me contacter au sujet de ses besoins en logiciels.

2> Cela a été un plaisir pour moi de rencontrer jeudi Monsieur DAVID. Je suis certain que nous allons nous entendre prochainement.

3> Jacques a mentionné l'enthousiasme avec lequel vous lui avez parlé de moi et je vous suis particulièrement reconnaissant de la confiance que vous avez témoignée à l'égard de mes compétences.

Je vous remercie encore d'avoir pensé à moi.

4> Cordialement.

1> *Remerciez votre interlocuteur d'avoir transmis vos coordonnées.*

2> *Faites état des résultats.*

3> *Mentionnez votre gratitude d'une manière personnelle.*

4> *Employez une formule amicale.*

A L'OCCASION D'UN AVANCEMENT

Cher ___ ,

1> Permettez-moi de vous adresser toutes mes félicitations pour votre récente promotion. Dès notre première rencontre, j'ai su que vous étiez destiné à de grandes choses.

Je suis très heureux d'apprendre que vos compétences ont été reconnues et appréciées à leur juste valeur. Vous pouvez être fier de cette réussite.

2> J'espère sincèrement pouvoir continuer à collaborer avec vous dans votre nouvel emploi.

Cordialement.

1> *Exprimez votre joie pour votre interlocuteur. Emettez un commentaire personnel.*

2> *Exprimez votre désir de maintenir vos relations commerciales.*

A L'OCCASION D'UNE NOMINATION

Cher ____ ,

▷ C'est avec le plus grand plaisir que j'ai appris votre nomination à la présidence du congrès annuel de l'Association des Fabricants d'Instruments de Musique. Je pense sincèrement que vous méritez cet honneur car vous avez toujours su faire preuve d'un grand dévouement.

▷ Compte tenu de l'ampleur du projet en cours, n'hésitez surtout pas à me solliciter.

▷ Nos longues années de collaboration me certifient que vous saurez faire de ce congrès un événement sans pareil.

▷ Toutes mes félicitations !

▷ Cordialement.

1▷ *Félicitez votre interlocuteur et faites lui part du plaisir que vous avez eu d'apprendre sa nomination.*

2▷ *Proposez votre assistance.*

3▷ *Faites un commentaire personnel.*

4▷ *Terminez en réitérant vos félicitations.*

5▷ *Employez une formule amicale.*

A L'OCCASION D'UNE RÉALISATION COMMERCIALE

Cher —— ,

1▷ Toutes mes félicitations !

2▷ C'est avec le plus grand plaisir que j'ai appris la semaine dernière le lancement de votre nouveau produit aérosol lors du Salon International de l'Emballage. Cette réussite est en tout point remarquable.

3▷ Il semble que vous soyez chaque année responsable de nombreuses innovations dans notre secteur industriel. Je dois vous avouer que je suis fasciné par vos extraordinaires capacités en matière de création.

4▷ Permettez-moi de vous adresser toutes mes félicitations pour votre nouveau produit. Je me réjouis à la pensée de vous adresser mes compliments de vive voix, lors de la réunion de notre association le mois prochain.

5▷ Cordialement.

▷ Présentez vos compliments.

▷ Mentionnez la réalisation accomplie.

▷ Exprimez votre admiration.

▷ Formulez à nouveau vos félicitations.

▷ Employez une formule de conclusion amicale.

11 ▶ A L'OCCASION D'UN ANNIVERSAIRE COMMERCIAL

Cher —— ,

1▷ Je suis très heureux d'apprendre que JANINE FASHIONS fête ce mois-ci le quinzième anniversaire de son ouverture. Permettez-moi de vous présenter mes biens sincères félicitations à cette occasion !

2▷ La plupart des affaires qui débutent n'arrivent même pas à passer le cap de la première année. Maintenir un commerce florissant pendant quinze ans est un formidable exploit. Voici qui témoigne de votre talent et de votre dévouement.

3▷ Je souhaite pouvoir continuer à partager ce succès avec vous dans les années à venir.

4▷ En vous renouvelant mes félicitations, je vous souhaite de jouir de la même prospérité qu'au cours de ces quinze dernières années.

5▷ Cordialement.

1▷ *Mentionnez l'occasion pour laquelle vous adressez vos félicitations.*

2▷ *Complimentez le lecteur pour sa réussite.*

3▷ *Exprimez votre désir de maintenir vos bonnes relations commerciales.*

4▷ *Soulignez votre sentiment positif à l'égard du destinataire.*

5▷ *Employez une formule de conclusion amicale.*

111

12 ▶ A L'APPROCHE DES VACANCES

Cher —— ,

1▷ Si nous n'avons pas toujours l'occasion pendant l'année de vous exprimer le plaisir que nous avons à travailler avec vous, permettez-nous de remédier à cette infortune en cette période de congés.

2▷ Nous vous souhaitons de passer de merveilleuses vacances et espérons que la nouvelle année vous apportera tout le succès que vous méritez. Nous vous remercions de votre confiance et de votre fidélité et vous assurons de maintenir la qualité de nos services à votre égard.

3▷ Nous espérons que cette période de congés vous apportera, ainsi qu'à votre famille, santé, bonheur et prospérité.

4▷ Cordialement.

1▷ *Expliquez la raison de votre courrier.*

2▷ *Présentez vos vœux et assurez le client de continuer à le servir au mieux.*

3▷ *Ajoutez une note personnelle.*

4▷ *Employez une formule de conclusion amicale.*

13 ▸ A L'OCCASION D'UN MARIAGE

Cher —— ,

1▹ C'est avec la plus grande joie que j'ai appris votre récent mariage. Je vous félicite bien sincèrement pour cet heureux événement.

2▹ Bien que n'ayant pas le plaisir de connaître votre conjoint(e), je suis certain qu'il(elle) vous apportera tout ce que vous souhaitez.

3▹ Je vous adresse à tous les deux mes meilleurs vœux de bonheur.

4▹ Cordialement.

14 ▶ A L'OCCASION D'UNE NAISSANCE

Cher —— ,

▷1 Toutes mes félicitations !

▷2 C'est avec le plus grand plaisir que j'ai appris la naissance de votre fille. Il me semble qu'il n'existe pas d'événement plus important et plus heureux que la naissance d'un enfant, et je participe à votre joie.

Je vous adresse à tous mes meilleurs vœux.

▷3 Cordialement.

▷1 Adressez des félicitations enthousiastes.

▷2 Ajoutez un commentaire personnel positif.

▷3 Employez une formule de conclusion amicale.

Note : si vous entretenez des relations tant personnelles que professionnelles avec le destinataire, mentionnez que vous serez ravi de rencontrer le « nouveau membre de la famille ».

15 ▸ LETTRE DE SYMPATHIE A UN MALADE

Cher —— ,

▷ Je suis navré d'apprendre que vous avez dû subir une opération d'urgence. Cependant, je suis rassuré de savoir que tout s'est bien passé et que vous vous remettez rapidement.

▷ Promettez-moi seulement deux choses pendant votre convalescence. D'abord, ne vous inquiétez pas au sujet des expéditions de vos commandes, je vous assure que je m'en occuperai personnellement. Mais surtout, rétablissez-vous vite !

▷ N'hésitez pas à me faire savoir si je peux vous être d'un quelconque secours.

▷ Je vous souhaite un prompt rétablissement.

▷ Cordialement.

1▷ Mentionnez la maladie. Le cas échéant, exprimez votre joie de savoir que tout s'est bien passé. (Dans le cas contraire, exprimez votre inquiétude au sujet du malade et votre espoir de le voir se rétablir prochainement).

2▷ Essayez de soulager la personne d'un souci ou d'une inquiétude quelconque.

3▷ Offrez votre aide.

4▷ Adressez vos vœux de meilleure santé.

5▷ Terminez par une formule amicale.

16 ▶ CONDOLÉANCES :
PERSONNE CONNUE

Cher —— ,

1 ▶ L'annonce du décès brutal de votre associé Arthur BLANC m'a bouleversé. En cette douloureuse circonstance, je vous présente mes plus sincères condoléances.

2 ▶ J'ai été en contact avec Arthur pendant de nombreuses années. Nos relations ont toujours été très agréables. Son professionnalisme dans les affaires ne cédait en rien à son abord chaleureux et amical. Je garde le merveilleux souvenir de son large sourire et de son fantastique sens de l'humour. Il me manquera.

3 ▶ Je comprends à quel point les circonstances sont pénibles pour vous. N'hésitez pas à me faire savoir si je peux vous être d'un quelconque secours.

4 ▶ En vous renouvelant mes condoléances, veuillez croire...

1 ▶ *Exprimez votre profonde tristesse.*

2 ▶ *Mentionnez un incident ou une impression favorable et personnelle à l'égard de la personne décédée.*

3 ▶ *Faites preuve de sympathie et proposez votre aide.*

4 ▶ *Formulez à nouveau vos condoléances.*

Note : dans pareil cas, il convient également d'adresser un courrier à la famille.

CONDOLÉANCES : PERSONNE MOINS CONNUE

Cher —— ,

> Les *Nouvelles* m'ont appris aujourd'hui l'affreuse nouvelle de la perte de votre frère et je devine votre état d'esprit.

> Croyez à ma pensée fidèle.

> Je vous assure, ainsi que votre famille, de ma sympathie attristée.

Cordialement.

1> Présentez vos condoléances.

2> Ajoutez un commentaire attentionné et personnel.

3> Présentez à nouveau vos condoléances.

VII. Lettres aux vendeurs

Un directeur des ventes s'efforce constamment de motiver son personnel commercial. La différence entre une équipe performante et une équipe peu efficace tient souvent au degré de motivation qui anime leurs membres. Les politiques de stimulation les plus courantes consistent à organiser des entretiens individuels, des réunions, des concours, ou à offrir des commissions ou des primes. Mais le chef de service peut également avoir recours à la correspondance afin de motiver ses troupes. Cette démarche peut être influente, car une lettre a souvent plus de poids qu'une simple conversation. En outre, elle s'avère l'unique moyen de communication efficace lorsque les forces de vente sont dispersées sur l'ensemble d'un territoire.

Ce type de correspondance doit être à la fois *personnalisé* et *positif*. Le directeur des ventes doit entretenir des rapports personnels avec les membres de son équipe. C'est pourquoi il convient de personnaliser ces lettres en fonction de chaque individu. Les circulaires n'ont absolument aucun effet. Chacun a besoin d'être considéré comme un cas unique, avec ses besoins et ses problèmes particuliers. Le responsable d'une équipe, qui tient compte de cet élément et incorpore des anecdotes personnelles dans son courrier obtiendra des résultats plus rapidement. Voici quelques trucs pour vous aider à rédiger votre courrier sur un ton personnalisé :

- **Mentionnez le nom du destinataire le plus souvent possible dans le corps de la lettre.**

- **Avant d'écrire, visualisez la personne à laquelle vous vous adressez.**

- **Employez le ton de la conversation.**

- **Faites référence à la famille, aux loisirs ou aux centres d'intérêt de l'individu.**

- **Laissez parler votre cœur et témoignez de votre enthousiasme.**

Il est primordial d'adopter un ton positif. Même en cas de réprimande, la lettre doit se terminer sur une note d'espoir. En effet, si un responsable est capable de communiquer à son équipe la confiance qu'il place en elle, cette dernière a beaucoup plus de chances de réussir. C'est ce que la psychologie moderne appelle « l'incitation à l'épanouissement personnel ». En d'autres termes, c'est en croyant à ses propres chances de succès que l'on réussit. Il est du ressort du directeur des ventes de s'assurer que les membres de son équipe croient en leur réussite. Les lettres qui expriment un point de vue positif sont porteuses de cette incitation à l'épanouissement personnel.

1 FÉLICITATIONS POUR UNE VENTE IMPORTANTE

Cher —— ,

1> Je vous félicite pour la vente que vous avez réalisée avec les établissements ELECTRA !

2> Il s'agissait de la plus grosse commande de transformateurs A801 de l'année.

3> Je suis particulièrement heureux de vos résultats car je sais que vous avez travaillé très dur sur ce compte client. Je me souviens que, lorsque nous avions parlé ensemble d'ELECTRA, vous m'aviez fait part de vos difficultés à obtenir une quelconque réaction de leur part.

Nous avions alors décidé d'un commun accord que le potentiel en présence valait un effort supplémentaire. Vous venez de nous en faire la démonstration !

4> J'ai la certitude que vos efforts et votre mérite seront récompensés, car vous figurerez sur notre liste des candidats au prix du meilleur vendeur de l'année. Je vous souhaite une bonne continuation.

5> En vous renouvelant mes félicitations, je vous prie de croire...

1> *Commencez la lettre par des félicitations enthousiastes.*

2> *Faites compliment de la commande.*

3> *Ajoutez un commentaire personnel au sujet des efforts consentis.*

4> *Profitez de cette opportunité favorable pour formuler votre confiance en un avenir riche de succès. (Le cas échéant, récompensez l'individu).*

5> *Renouvelez vos félicitations.*

2 FÉLICITATIONS SUITE A UN TÉMOIGNAGE

Cher —— ,

Félicitations !

1▷ Nous venons de recevoir un courrier de la part de TRANSMIC, exprimant son entière satisfaction à l'égard de l'efficacité et de la courtoisie dont vous avez fait preuve.

2▷ Connaissant l'exigence de TRANSMIC, j'apprécie d'autant plus votre succès.

3▷ Nous sommes fiers de la qualité des services que nous offrons, et heureux de constater que vos efforts s'inscrivent parfaitement dans notre recherche de la perfection.

4▷ Nous ne pouvons que faire l'éloge de votre attitude positive. Afin de vous exprimer nos remerciements pour avoir satisfait un client aussi important, nous avons le plaisir de vous offrir un dîner pour deux à La « Bonne Table ».

5▷ En vous renouvelant nos félicitations, veuillez croire...

1▷ *Expliquez la nature du témoignage.*

2▷ *Faites un éloge personnel.*

3▷ *Soulignez l'attachement de la société à la qualité.*

4▷ *Récompensez le commercial avec enthousiasme.*

5▷ *Renouvelez vos félicitations à la fin.*

ANNONCE D'UN CHANGEMENT DE POLITIQUE DE VENTE

Cher —— ,

1> Le 12 novembre, tous les modèles de tables de conférence MOBILIER CONTEMPORAIN seront augmentés de 10 %. Cette hausse est due à l'augmentation du coût de la main d'œuvre relatif à la finition main.

2> Si une hausse de prix n'est pas un argument de vente, elle représente toutefois notre attachement à la qualité.

3> Chez MOBILIER CONTEMPORAIN, nous fabriquons le plus beau mobilier de bureau existant sur le marché. Nous utilisons de splendides bois naturels rares venant du monde entier. Chaque table est confectionnée à la main par les soins de nos ébénistes. Il n'existe pas deux modèles semblables, tous sont de véritables œuvres d'art.

4> Nous pourrions réduire nos coûts en utilisant des matériaux ordinaires ou en employant des ouvriers moins qualifiés, mais nos tables perdraient leur identité et ne seraient plus dignes de notre nom.

5> Lors de la présentation de nos produits, n'ayez pas peur d'en mentionner le prix. Présentez-le comme la garantie d'un mobilier de qualité supérieure.

Cordialement.

1> Indiquez la hausse de prix et la raison qui la justifie.

2> Présentez l'augmentation de manière positive.

3> Expliquez votre attachement à la qualité de vos produits.

4> Mentionnez en quoi l'abandon de la qualité serait néfaste.

5> Suggérez une idée pour anticiper les objections concernant les prix.

ANNONCE D'UN CONCOURS DE VENTE

Cher —— ,

1 Êtes-vous prêt à faire vos bagages pour partir, tous frais payés, aux Antilles ?

2 Nous l'espérons bien... car les lauréats du <u>Concours des meilleures ventes Photocop</u> auront la chance de passer Noël à la Martinique.

3 Nous souhaiterions offrir ce voyage aux 325 membres de notre équipe commerciale... Alors, c'est facile !

4 Voici comment faire partie des gagnants. A compter du 1er novembre, Photocop lance une promotion sur le copieur portable XZ 2000. Cette offre promotionnelle se poursuivra jusqu'au 1er février. Pour gagner, il vous suffit de vendre 15 machines pendant ces trois mois.

5 Étant donné que le XZ 2000 est le photocopieur le plus sensationnel de notre gamme, et que notre campagne publicitaire commence déjà à porter ses fruits, vous êtes assuré d'atteindre vos objectifs de vente.

6 Voici le programme. Un *jumbo jet* vous emportera à la Martinique la dernière semaine de décembre. Vous séjournerez dans l'un des somptueux bungalows du Mondio Club avec accès direct à la plage. La société se charge de toute l'organisation sur place. Vous visiterez les endroits les plus fabuleux

1 *Attirez l'attention par une question intrigante.*

2 *Annoncez le concours.*

3 *Motivez toute l'équipe.*

4 *Donnez les détails du concours.*

5 *Exprimez votre confiance dans la réussite de votre agent.*

6 *Décrivez la récompense pour motiver la personne.*

et goûterez la cuisine locale dans les meilleurs restaurants. Vous passerez sept jours inoubliables à
vous détendre et à profiter des beautés de l'île.

> Ce passionnant concours sera lancé la semaine pro-
chaine au cours d'une réunion de travail. D'ici là,
pensez à la Martinique.

Cordialement

> P.-S. : l'année dernière 240 commerciaux ont gagné
le séjour à New York. Cette année, la Martinique est
à la portée de votre main, si vous le voulez !

*7> **Donnez les infor-
mations concernant le
lancement du concours.***

*8> **Utilisez le post-
scriptum pour attirer
davantage l'individu et
lui prouver qu'il peut
gagner.***

5 MOTIVATION D'UN AGENT COMMERCIAL

Cher —— ,

1▷ J'ai pensé que vous seriez intéressé par la technique de vente que Robert TAIN m'a enseignée.

2▷ Le nombre de ventes réalisées par Robert TAIN le trimestre dernier, me fascine. Il est parvenu à une croissance de 225 % par rapport au trimestre précédent, et de 350 % par rapport au trimestre correspondant de l'année dernière.

J'ai donc contacté Robert pour lui demander des précisions sur sa méthode de travail. Ce qu'il m'a répondu pourrait vous aider à obtenir des résultats similaires.

3▷ Robert dit qu'en dépit de tous ses efforts, ses résultats des deux trimestres précédents n'étaient pas brillants. Découragé, il a donc décidé d'analyser la situation. Il a établi une liste de tous les clients et de toutes les cibles qu'il avait contactés au cours des mois précédents. Puis, sur son carnet de rendez-vous, il a noté tous les appels téléphoniques, en encerclant ceux qui ont débouché sur une vente.

Robert a été surpris de découvrir dans la plupart des cas que, si après deux appels, le client n'avait pas commandé, il ne le faisait jamais.

4▷ Ainsi, Robert passait deux tiers de son temps à appeler et rappeler des clients qui, en toute probabilité, ne commanderaient jamais rien.

1▷ *Expliquez la raison positive de votre lettre.*

2▷ *Commencez par une affirmation certaine de susciter l'intérêt. (Si vous n'avez pas d'exemple interne sous la main, faites appel à une réussite célèbre).*

3▷ *Présentez l'histoire sur un ton personnel et intéressant. N'hésitez pas à dramatiser.*

4▷ *Expliquez la leçon à tirer.*

> Robert a donc immédiatement changé de politique et décidé de n'appeler les prospects que deux fois seulement. Ensuite, il les inscrit sur une liste de mailing mais ne les contacte plus par téléphone. Ce gain de temps lui permet donc de se concentrer sur les clients qui commandent, et de contacter de plus nombreuses cibles nouvelles. Mais ces dernières reçoivent uniquement deux appels.

> Les résultats ont commencé à se faire sentir. Robert consacre son temps et son énergie là où c'est payant, et se désintéresse totalement des cibles qui ne commanderont jamais.

> Vous pouvez en faire de même. Vérifiez la productivité de votre temps de travail.

> La réponse pourrait vous aider à augmenter vos ventes de 225 % et plus !

Cordialement.

5> *Indiquez comment le lecteur peut appliquer cet enseignement à sa propre routine de travail.*

6> *Mentionnez l'avantage avec enthousiasme.*

7> *Expliquez au lecteur ce qu'il doit faire pour améliorer ses résultats.*

8> *Soulignez l'avantage.*

6 LETTRE A UN AGENT COMMERCIAL DÉMOTIVÉ

Cher —— ,

1> Il m'est apparu que vos résultats ont considérablement baissé au cours du trimestre dernier.

2> Ceci me surprend, car vous avez toujours fait partie des meilleurs agents commerciaux de NORTON-PERKINS.

3> Certes je suis surpris, mais pas ébranlé. Je vous en parle parce que je crois sincèrement que, si vous avez été performant, vous pouvez l'être encore aisément. Vous connaissant, je suis certain que vous serez bientôt à nouveau à votre top niveau.

4> Lorsque Jean SAVONET, le plus grand joueur de tennis de tous les temps, a une baisse de régime (et cela lui arrive), il fait preuve de beaucoup de bon sens. Il revoit ses bases. Il revient sur les éléments fondamentaux de son jeu : sa tenue de raquette, sa position, son service, etc. Peut-être avez-vous besoin vous-même de revoir vos bases.

5> J'ai toujours pensé que vos compétences commerciales particulières résultaient de votre enthousiasme pour le produit et du souci d'être utile au client. Ces deux facteurs, ainsi que votre désir de réussite, sont vos « bases ».

Pourquoi ne pas revoir sérieusement votre enthousiasme pour le produit, votre souci de la clientèle et

1> *Exposez le problème posément.*

2> *Exprimez votre surprise à l'idée que le problème ait pu se produire.*

3> *Montrez que vous êtes confiant quant à la solution rapide du problème.*

4> *Faites une suggestion constructive.*

5> *Soulignez les atouts positifs du lecteur, et adressez-lui des compliments enthousiastes.*

votre désir de réussite. Si l'un de ces éléments mérite votre attention, concentrez-vous davantage sur lui.

6⊳ Cela peut prendre un mois ou deux, mais je sais que vous réussirez à accroître radicalement vos ventes.

Ne vous découragez pas. Suivez l'exemple de Jean SAVONET. Revoyez vos bases.

7⊳ Si vous souhaitez venir me voir, n'hésitez pas à m'appeler.

Veuillez croire...

6⊳ Insistez sur le fait que vous croyez à la solution du problème.

7⊳ Offrez votre aide personnelle, si nécessaire.

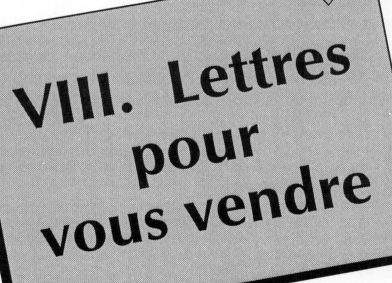

VIII. Lettres pour vous vendre

Les lettres destinées à vendre ses idées et ses compétences sont parfois difficiles à rédiger. En effet, vous ne souhaitez pas donner l'impression à votre lecteur que vous êtes vantard et suffisant, mais plutôt que vous avez de l'assurance et que vous êtes digne de confiance. Pour convaincre le destinataire de votre fiabilité, **vos lettres doivent être *personnalisées, sincères, positives* et *crédibles*.**

Une lettre est *personnalisée* lorsque vous vous adressez au destinataire comme s'il était directement en face de vous. Vous devez donc visualiser la personne à laquelle vous écrivez, sans pour autant penser à elle comme à un « marché ».

La *sincérité* s'exprime par la révélation d'une partie de vous-même au lecteur. Vous pouvez dire que vous profitez honnêtement de l'opportunité qui vous est donnée de décrire votre idée ou d'offrir votre aide. Quelle que soit la forme que vous lui donnez, votre lettre doit être sincère pour avoir de l'effet.

Pour vous vendre, vous devez d'abord croire en vous et en votre aptitude à faire bénéficier le lecteur de l'avantage que vous lui proposez. Une approche positive et enthousiaste mettra votre interlocuteur en confiance et votre argument prendra ainsi toute sa valeur.

Le lecteur n'a probablement jamais entendu parler de vous, il est donc nécessaire de lui apporter la preuve de votre talent. Vous pouvez établir votre *crédibilité* en mentionnant votre formation, votre expérience et vos références.

Ces facteurs d'influence vous permettront d'éviter l'exagération et les promesses de châteaux en Espagne. Les gens vous croiront et vous témoigneront de l'intérêt.

▶ DEMANDE D'ENTRETIEN

Cher —— ,

> Agent commercial dans une entreprise de bureautique depuis plus de 10 ans, j'ai pu assister de près au développement de votre firme. Je suis très impressionné par votre approche agressive de l'élaboration du produit et par le grand soutien que vous apportez à votre personnel des ventes.

> Je suis actuellement à la recherche d'un nouvel emploi, plus stimulant, au sein d'une entreprise telle que la vôtre.

> Si vous recherchez un agent commercial bénéficiant d'une longue expérience, animé par le désir et la motivation d'exceller, je pense pouvoir être un atout pour votre entreprise.

> Vous trouverez ci-joint le descriptif de mes performances. Vous remarquerez que, depuis ces cinq dernières années, je suis classé parmi les trois meilleurs agents commerciaux de mon entreprise. A deux reprises, j'ai atteint la première position.

> Je suis certain de pouvoir vous assurer de grands résultats. Je vous contacterai la semaine prochaine afin que nous puissions convenir ensemble d'un rendez-vous.

Veuillez agréer...

▶ **1▷** *Montrez que vous connaissez et que vous vous intéressez à votre employeur potentiel.*

2▷ *Expliquez la raison de votre désir de changement d'emploi.*

3▷ *Présentez vos qualifications avec assurance.*

4▷ *Apportez la preuve de vos arguments.*

5▷ *Assurez l'employeur de votre future réussite.*

2 RÉPONSE A UNE PETITE ANNONCE

Cher —— ,

1▷ Directeur du service de communication d'un distributeur alimentaire, je pense être tout à fait qualifié pour le poste décrit dans l'annonce que vous avez fait paraître le 23 avril dans le *Figaro*.

2▷ Mes 14 années d'expérience au sein de différentes entreprises du secteur alimentaire m'ont permis d'acquérir les connaissances nécessaires pour assurer la promotion des ventes et la publicité relative à ce domaine d'activité. Je suis convaincu de pouvoir mettre ces compétences au service du développement de votre société.

3▷ Je vous adresse ci-joint mon curriculum vitae. Vous remarquerez qu'à trois reprises consécutives, j'ai été reçu le prix d'excellence ALPHA dans la catégorie de la promotion des ventes.

4▷ J'apprécierais grandement de vous rencontrer afin de m'entretenir avec vous de vos besoins et de mes qualifications. A cette occasion, je souhaiterais également vous présenter mon dossier.

5▷ Je vous appellerai jeudi matin, afin de convenir avec vous d'un rendez-vous. Dans l'espoir de vous rencontrer prochainement, je vous prie d'agréer...

1▷ *Mentionnez la raison de votre courrier.*

2▷ *Présentez vos qualifications de manière positive.*

3▷ *Mentionnez votre CV et soulignez-en les éléments importants.*

4▷ *Demandez un rendez-vous. Ajoutez, si possible, une raison supplémentaire de vous rencontrer.*

5▷ *Prévenez l'employeur de votre prochain appel.*

3 PROPOSITION DE VISITE CONSEIL

Cher —— ,

> Il n'existe probablement pas d'activité plus passionnante qu'une petite entreprise familiale.

> Le propriétaire d'une entreprise familiale doit non seulement surmonter la multitude de problèmes que connaissent tous les dirigeants de société, mais aussi les problèmes affectifs que pose une collaboration avec les siens.

> Si les décisions exclusivement professionnelles ne présentent généralement aucune difficulté, la plupart des chefs d'entreprise familiale sont souvent gênés par les décisions qui impliquent la famille.

> C'est là que je peux vous être utile. Non seulement j'ai personnellement dirigé une affaire familiale, mais j'en ai étudié des centaines. En tant qu'expert-conseil auprès des entreprises familiales, je comprends vos besoins. Je suis en mesure de vous aider à prendre les meilleures décisions pour vous-même, pour votre entreprise et pour votre famille.

> Je peux vous être utile dans les domaines tels que la responsabilité, la compensation, la planification financière et la succession.

> Il n'est pas rare de voir les entreprises familiales se développer considérablement une fois ce type de problèmes résolu.

> Si vous le souhaitez, nous pourrions nous rencontrer afin de parler de votre situation particulière. Je vous contacterai donc la semaine prochaine pour convenir avec vous d'un rendez-vous.

Veuillez agréer...

1> *Commencez par une affirmation qui intéressera la cible.*

2> *Mentionnez un problème courant.*

3> *Développez le problème.*

4> *Décrivez les solutions que vous pouvez apporter.*

5> *Mentionnez les domaines particuliers pour lesquels vous pouvez être utile.*

6> *Décrivez un résultat avantageux après solution du problème.*

7> *Exposez votre prochaine initiative.*

4 PROPOSITION DE SÉMINAIRE

▷ LA CRÉATIVITÉ S'APPREND !

Cher ⎯ ,

▷ Je crois pouvoir offrir à votre établissement un séminaire sur la créativité en entreprise, extrêmement rentable pour vous et profitable à vos clients.

▷ Après avoir occupé, pendant vingt ans, le poste de directeur de création auprès de trois filiales de la CBT, je préside désormais ma propre firme, PRD Développement.

Ma proposition de séminaire sur la créativité a déjà soulevé l'enthousiasme de nombre de mes clients.

▷ Tous s'accordent à dire qu'une entreprise nécessite un flot constant d'idées nouvelles pour se maintenir en tête de la concurrence. Malheureusement, les personnes créatives se font rares.

▷ J'ai aidé ces clients à prendre conscience du fait que nous sommes tous nés avec la possibilité d'être créatif ! Mon programme montre, de manière progressive et concrète, comment chacun d'entre nous peut se mettre à l'écoute de sa propre créativité. A l'aide d'exemples tirés de mon expérience, j'apprends aux participants comment appliquer cette nouvelle approche au sein de leur entreprise. A la fin du séminaire, chacun part avec les outils nécessaires pour être plus spontané, novateur et créatif.

▷ Vous serez convaincu, car ce séminaire représente un atout majeur pour votre établissement, spécialisé dans l'enseignement du management.

▷ Dans l'espoir de vous rencontrer bientôt pour discuter ensemble de ma proposition, je vous contacterai la semaine prochaine. Veuillez agréer...

▷ Le titre attire l'attention et formule immédiatement le besoin.

▷ Présentez directement votre proposition et ses avantages.

▷ Appuyez votre crédibilité sur votre expérience.

▷ Exposez le besoin que satisfait le séminaire.

▷ Expliquez comment votre proposition répond au besoin.

▷ Indiquez de manière positive votre confiance en votre proposition.

▷ Informez le lecteur de votre prochaine initiative.

5▶ INVITATION A UNE INAUGURATION

Cher ——— ,

▷ C'est avec le plus grand plaisir que je vous invite à l'inauguration de ma nouvelle galerie. Nous fêterons cet événement le 22 juin, à partir de 19 h, au 22, passage des Artisans.

▷ Il s'agit d'une grande occasion pour moi. Comme vous le savez, j'ai toujours rêvé d'ouvrir une galerie. Grâce à l'immense soutien d'amis comme vous, ce jour est enfin arrivé.

▷ Nous aurons la joie de vous faire découvrir une magnifique exposition d'aquarelles sur le thème de la Provence.

▷ Je me réjouis à l'idée de vous accueillir le 22 juin pour ce premier vernissage.

Toutes mes amitiés.

▷ P.-S. : l'inauguration se terminera par un cocktail.

1▶ *Formulez votre invitation avec chaleur.*

2▶ *Décrivez sincèrement l'importance de l'événement. Remerciez le lecteur de sa fidélité.*

3▶ *Faites la promotion de l'exposition.*

4▶ *Montrez-vous confiant quant à la participation de votre invité.*

5▶ *Le post-scriptum suggère un attrait supplémentaire.*

6 ▸ VENDRE UNE IDÉE

Cher —— ,

1▸ Je suis sans doute votre plus grand admirateur !

2▸ Amateur de jeux de société, je possède environ 200 modèles différents. C'est à vous que je dois mes deux préférés : ESPIONNAGE ET NAUFRAGES.

3▸ Je viens de mettre au point un jeu qui, j'en suis certain, vous intéressera. Outre les amateurs de jeux, il devrait plaire à un très large public. POINTS ET CONTREPOINTS est un jeu d'intelligence et de stratégie. Il peut se jouer en solitaire ou à plusieurs (jusqu'à 6 joueurs). Une fois la partie commencée, le joueur se laisse totalement prendre par l'enjeu et le plaisir de défier l'intelligence et la ruse de ses adversaires.

4▸ Lorsque vous aurez vu et essayé POINTS ET CONTREPOINTS, vous pourrez en apprécier le fantastique potentiel sur le marché des jouets. Mais jugez-en par vous-même. Je ne vous demanderai que dix minutes de votre temps.

5▸ Je vous contacterai mercredi prochain afin de convenir avec vous d'un rendez-vous. Dans l'espoir de vous présenter prochainement POINTS ET CONTREPOINTS.

Veuillez croire...

1▸ *Commencez par exprimer votre admiration.*

2▸ *Montrez que vous connaissez et vous intéressez à l'activité de votre interlocuteur.*

3▸ *Allez droit au but et décrivez votre idée avec enthousiasme.*

4▸ *Formulez les avantages de votre idée pour l'entreprise visée. Proposez une entrevue rapide et sans engagement.*

5▸ *Prévenez le lecteur de votre prochaine initiative.*

IX. Lettres en série

Une campagne de lettres commerciales en série consiste à adresser, à intervalles réguliers, de multiples lettres au même client ou à la même cible.

Les lettres en série sont particulièrement efficaces pour vendre des produits ou des services nécessitant une longue explication, description ou promotion. Ce flot continu et régulier d'informations débouche parfois sur des résultats substantiels. Un produit ou un service présente souvent de nombreuses caractéristiques intéressantes. Les lettres en série permettent donc d'expliquer chacune d'entre elles en détail. Vous évitez ainsi d'embrouiller le lecteur avec de trop nombreux arguments de vente différents dans une même lettre.

L'utilisation de plusieurs messages permet en outre de mieux « accrocher » le lecteur. Si, par exemple, vous voulez vendre des costumes pour hommes, vous pourriez envoyer une lettre différente pour présenter chacune des caractéristiques suivantes :

- choix du tissu
- attention personnelle
- prix d'usine
- ajustement à la clientèle
- garantie
- style
- confort
- coupe réalisée par des spécialistes
- retouches à vie
- doublure en soie

Certains clients commanderont dès réception de la première lettre, d'autres seulement après la sixième, et il vous faudra dans certains cas en envoyer dix avant d'obtenir un résultat. Le client qui rêve depuis toujours d'un costume doublé de soie ne sera pas conquis avant la dixième lettre. S'il ne recevait que la première lettre, il ne serait probablement jamais « accroché ».

Lorsque vous lancez une campagne de lettres en série, partez toujours de l'hypothèse selon laquelle le lecteur ne se souviendra pas de la ou des lettres précédemment reçues. Même si beaucoup s'en souviendront, de nombreux autres auront oublié. Par ailleurs, les lettres n'arrivent pas toujours à destination, ou sont jetées sans même avoir été lues. **Chaque lettre doit donc exister par elle-même, comme si elle était la seule à être envoyée.** Ainsi vous êtes sûr de présenter un argument de vente complet et sans faille dans chacune d'entre elles.

1 ▸ PREMIÈRE LETTRE : VENDRE LE PRIX

Cher Monsieur Blanchet,

> Sans doute payez-vous vos enveloppes plus cher que nécessaire ?

> En effet la plupart des fournisseurs sont des intermédiaires et non pas des fabricants.

> ENVELOPPE DIRECTE S.A. est un fabricant d'enveloppes. En achetant directement chez nous, vous pouvez réaliser une économie de 30, 40, voire de 50 % sur le prix que vous payez actuellement.

> Difficile à croire ? Laissez-moi vous le prouver. Vous trouverez ci-joint un exemplaire de notre liste de prix. Comparez et vérifiez vous-même. Je vous assure que vous payez plus cher pour le même produit. Ne pensez-vous pas qu'il vaudrait mieux adresser votre prochaine commande à ENVELOPPE DIRECTE ?

> Pour vous convaincre d'en faire l'essai, nous vous offrons une économie encore plus avantageuse sur votre première commande. Indiquez « nouveau client » sur votre bon de commande, et ENVELOPPE DIRECTE prendra à sa charge les frais d'expédition.

> En retournant la carte-réponse préaffranchie dès aujourd'hui, vous bénéficierez de nos prix d'usine et de notre offre spéciale pour une première commande.

Cordialement.

1▸ *Attirez l'attention par une question intrigante.*

2▸ *Suggérez au lecteur comment il peut économiser de l'argent.*

3▸ *Présentez l'avantage de traiter avec vous.*

4▸ *Ajoutez à votre crédibilité en fournissant vos tarifs.*

5▸ *Proposez une offre spéciale.*

6▸ *Expliquez au lecteur ce qu'il doit faire.*

2 SECONDE LETTRE : VENDRE LE SERVICE

Cher Monsieur Blanchet,

1▷ J'aimerais vous parler de quelque chose que vous connaissez peut-être déjà... et de quelque chose qui va sans doute vous surprendre.

2▷ Vous savez que vous pouvez économiser jusqu'à 50 % sur vos enveloppes, en traitant directement avec ENVELOPPE DIRECTE.

3▷ Mais vous serez surpris d'apprendre que vous pouvez réaliser ces économies tout en bénéficiant d'un service de meilleure qualité !

4▷ C'est vrai. Lorsque vous commandez vos enveloppes chez un fournisseur, celui-ci s'adresse alors au fabricant. Vous avez donc affaire à un intermédiaire.

Chez ENVELOPPE DIRECTE, votre commande est traitée directement. Ceci présente deux avantages. D'une part, vous gagnez du temps car, dans la plupart des cas, nous pouvons expédier votre commande dans un délai de 72 heures. D'autre part, l'absence d'intermédiaire minimise les risques d'erreur.

5▷ Vous trouverez ci-joint nos tarifs ainsi qu'un bon de commande détachable. N'attendez pas pour juger par vous-même de l'excellent service que vous pouvez obtenir à un prix modique.

6▷ Si vous indiquez « nouveau client », ENVELOPPE DIRECTE paiera pour vous les frais d'expédition. Vous n'avez rien à perdre, faites vite !

Cordialement.

1▷ *Captez l'intérêt du lecteur à l'aide d'une affirmation l'amenant à se poser une question.*

2▷ *Poursuivez sur le thème déjà mentionné lors du premier courrier.*

3▷ *Introduisez l'avantage d'un service de qualité.*

4▷ *Expliquez pourquoi vous offrez un meilleur service.*

5▷ *Indiquez au client la marche à suivre.*

6▷ *Mentionnez l'offre spéciale.*

3 TROISIÈME LETTRE : VENDRE LE CHOIX DISPONIBLE

Cher Monsieur Blanchet,

> Je parie que les dernières enveloppes profession-
nelles que vous avez commandées étaient blanches.

> Savez-vous que les enveloppes de couleur sont plus
attrayantes que les enveloppes blanches qui finis-
sent souvent au fond d'une poubelle, sans même
avoir été ouvertes ?

> ENVELOPPE DIRECTE S. A. vous propose non seule-
ment des enveloppes blanches, mais aussi des
enveloppes dans les teintes chamois, ivoire, jaune,
pêche, rouge, rose, vert, bleu, gris et 15 autres tons
tout aussi accrocheurs. Chaque teinte existe en huit
tailles différentes. Nous disposons ainsi du plus
grand choix d'enveloppes. Vous pouvez donc commander au même endroit toutes les couleurs et
toutes les tailles d'enveloppe dont vous avez
besoin.

> Comme vous le savez probablement déjà, nous
fabriquons et vendons nos produits directement,
sans intermédiaire. Vous bénéficiez ainsi d'une
réduction de 50 % par rapport au prix que vous
payez habituellement.

> Je vous adresse ci-joint nos tarifs, la gamme des cou-
leurs disponibles ainsi qu'un bon de commande.
Indiquez « nouveau client » et nous nous chargerons
des frais d'expédition à titre de remerciement.

> Renvoyez-moi dès à présent votre bon de com-
mande pour profiter de nos prix et de notre offre
spéciale.

Cordialement.

1> **Attirez l'attention par une remarque pro-vocatrice.**

2> **Présentez l'un des avantages de votre pro-duit. (Ici, le rédacteur fournit une informa-tion que le lecteur sau-ra apprécier).**

3> **Soulignez l'avanta-ge d'un large choix.**

4> **Mentionnez un se-cond avantage.**

5> **Proposez une offre spéciale.**

6> **Incitez à la com-mande.**

QUATRIÈME LETTRE : VENDRE UN PRODUIT DE LA GAMME

Cher Monsieur Blanchet,

1> Découvrez l'échantillon ci-joint. Vous n'avez probablement jamais rien vu de semblable !

2> Désormais, vous pouvez doubler l'efficacité de vos mailings grâce à notre nouvelle enveloppe RÉPONSE RAPIDE.

3> Les tests ont prouvé que ce modèle remarquable et peu coûteux, mis au point par ENVELOPPE DIRECTE, est très incitatif à la réponse. En effet, le destinataire peut l'ouvrir et le retourner très facilement. L'enveloppe dit pratiquement « renvoyez-moi ».

4> Parmi les caractéristiques de l'enveloppe RÉPONSE RAPIDE, vous trouverez :

- Trois panneaux dépliants pour vos messages publicitaires
- Une carte-réponse détachable
- Un système de languette pour ouvrir l'enveloppe
- Un large emplacement pour l'adresse et le message
- Un choix de couleurs attrayantes
- Et beaucoup plus encore

5> RÉPONSE RAPIDE vous permettra de lancer de nombreux produits et services différents. Les seules limites sont celles de votre imagination.

1> Envoyez un échantillon pour capter l'intérêt. Si cela n'est pas possible, envoyez une photo, une fiche technique ou autre support illustratif.

2> Annoncez un avantage frappant.

3> Expliquez pourquoi le produit est avantageux.

4> Décrivez le produit.

5> Mentionnez le profit que peut tirer le lecteur de l'utilisation du produit.

5> Pour en savoir plus sur ce nouveau support marketing, il vous suffit de nous retourner la carte-réponse dès aujourd'hui.

Cordialement.

7> P.-S. : dès réception de votre réponse, vous recevrez une information GRATUITE sur toute la gamme de produits d'ENVELOPPE DIRECTE : le plus grand choix existant !

6> *Expliquez au lecteur comment obtenir un complément d'information.*

7> *Offrez une information sur d'autres produits. Le lecteur peut être intéressé par un autre produit que celui présenté.*

5 CINQUIÈME LETTRE : VENDRE SA RÉPUTATION

Cher Monsieur Blanchet,

1 > Mon père m'a toujours refusé sa clientèle et pourtant je le considère comme un brillant homme d'affaires !

2 > Il refuse d'acheter une seule enveloppe à l'entreprise de son fils, ENVELOPPE DIRECTE, avant d'avoir obtenu une réponse satisfaisante à la question qu'il pose à tous les autres fournisseurs.

Quelle est donc la fameuse question que cet acheteur professionnel pose à tout le monde ? « Quel est le nom et le numéro de téléphone des clients qui vous sont fidèles depuis au moins cinq ans ? »

Comme vous pouvez le constater, mon père est un sage. Il sait que l'on peut se fier à la réputation d'une entreprise.

3 > Nous avons travaillé durement et longuement pour devenir l'un des fabricants d'enveloppes les plus réputés du pays. Ainsi, nous sommes désormais en mesure de vous assurer un produit et un service de qualité à un prix compétitif.

4 > Je vous adresse ci-joint une liste des entreprises que nous avons l'honneur de servir depuis au moins cinq ans. N'hésitez pas à les contacter. Posez-leur les questions que mon père leur poserait. Vous aurez ensuite toute confiance dans ENVELOPPE DIRECTE.

5 > Je me réjouis à la pensée de vous accueillir prochainement parmi nos clients.

Cordialement.

1 > *Attirez l'attention par une affirmation intrigante.*

2 > *Retenez l'intérêt soulevé par une anecdote personnelle. (Vous pouvez aussi citer le cas de certains clients ou d'incidents insolites à la suite de quoi votre entreprise a sauvé la situation).*

3 > *Racontez l'histoire de votre entreprise. Indiquez comment vous avez établi votre réputation.*

4 > *Pour asseoir votre crédibilité, apportez la preuve de votre fiabilité.*

5 > *Montrez-vous confiant.*

X. Lettres originales

Les lettres originales sont destinées à attirer l'attention du destinataire par leur format unique ou les documents joints. Ce type de courrier est souvent efficace car il permet parfois d'augmenter considérablement le taux de réponse. L'originalité ne convient toutefois pas à toutes les situations ; utilisées de manière inappropriée, ces lettres peuvent donner des résultats désastreux. En effet, si vous vous montrez trop malicieux ou trop enclin aux gadgets, vous risquez de faire fuir votre client. D'ailleurs, n'utilisez jamais deux fois de suite cette approche avec un même client. Rien n'est plus rebutant que le recours systématique à la nouveauté.

La lettre en forme de télégramme est un bon exemple de ce type d'approche. Généralement imprimés en jaune vif, l'enveloppe et l'en-tête font volontairement penser à un télégramme. L'enveloppe porte en caractères gras les mots « urgent », « important » ou « personnel ». Ce format donne l'impression que la lettre est importante et doit être immédiatement ouverte. Si le « télégramme » contient véritablement un message digne de son aspect : offre d'achat limitée, lancement d'un nouveau produit, marchandise en liquidation, la lettre fera son effet. En revanche, si l'offre n'a rien d'exceptionnel, le client risque d'être agacé.

Les lettres originales comportent généralement des documents imprimés particuliers ou des objets miniatures. En voici quelques exemples :

- Photo
- Bon adhésif de réduction
- Carte au trésor
- Énigme
- Pièce de monnaie
- Porte-bonheur
- Stylo et crayon
- Voiture en modèle réduit
- Jouet

Il est extrêmement important de joindre un objet directement lié au produit ou au service. Un fabricant de détergents industriels m'en a récemment fourni un excellent exemple. La lettre que j'ai reçue était accompagnée de la photo parfumée d'un citron. Le fruit, fortement imbibé du parfum d'un citron utilisé dans le nouveau gel WC proposé, ne pouvait pas passer inaperçu. Le message disait « Parfumez vos toilettes au citron vert » : l'échantillon constituait donc une excellente accroche.

En revanche, j'ai reçu un parfait contre-exemple de la part d'un organisme de crédit. La proposition était accompagnée d'un carnet d'adresses. Le lien entre le service proposé et le cadeau manquait donc totalement d'évidence. Il aurait mieux valu, dans ce cas, joindre un tableau d'amortissement portant le nom et le numéro de téléphone de la société, qui aurait incité le lecteur à se rendre compte par lui-même des taux d'intérêts avantageux.

Voici un dernier conseil à respecter dans l'utilisation des lettres originales. Assurez-vous que l'objet destiné à attirer l'attention n'interfère jamais avec le but de la lettre : inciter à l'achat. Comme toutes les autres lettres commerciales, les lettres originales doivent amener le client à passer commande, à demander des renseignements ou une démonstration, à se rendre dans un magasin ou à faire une démarche débouchant sur un achat. Attention, même si le format ou les cadeaux sont très attrayants, la lettre originale doit encore séduire le lecteur, l'informer, l'inciter à acheter et lui indiquer la marche à suivre.

1 ▸ EXEMPLE DU MIROIR

Chère —— ,

1 ▷ « Miroir, mon beau miroir... qui est la plus belle ? »

Ce pourrait être vous, si vous utilisez la crème ANTI-RIDES NATURE PARFAITE.

ANTI-RIDES est la combinaison parfaite des produits naturels les plus hydratants. Cette crème contient de l'huile de coco, de l'huile d'olive, de l'huile d'amande douce, de la lanoline et de la vitamine E. ANTI-RIDES lutte contre le dessèchement et les rides. Avec un simple massage, vous sentirez votre peau se revitaliser miraculeusement. Et vous retrouverez ainsi la souplesse et l'éclat de la jeunesse.

Regardez-vous dans le miroir ci-joint. Êtes-vous satisfaite de la jeunesse de votre peau ? Si ce n'est pas le cas, commandez dès aujourd'hui votre tube ANTI-RIDES au prix de lancement exceptionnel de 99 F, soit une économie de 50 F sur le prix normal de vente.

Employez la crème ANTI-RIDES pendant une semaine entière, puis regardez à nouveau dans le miroir. Si votre peau ne vous semble pas avoir considérablement rajeuni, retournez-nous le tube restant pour un remboursement intégral.

Ne me croyez pas sur parole, mais jugez vous-même !

Renvoyez votre bon de commande dès à présent, accompagné d'un chèque de 99 F seulement. Ne laissez pas passer cette offre de lancement. Vous ne le regretterez pas.

Cordialement.

1 ▷ *Le petit miroir attaché à la lettre attise la curiosité.*

2 EXEMPLE DE LA PRÉSENTATION A L'ENVERS

Cher —— ,

▷ N'AVEZ-VOUS JAMAIS EU LE SENTIMENT QUE LE MONDE TOURNE A L'ENVERS ?

La plupart d'entre nous ont cette impression un jour ou l'autre. C'est parce que, dans la société actuelle, nous subissons constamment des pressions. Le stress provoqué par le besoin de gagner sa vie et d'élever une famille peut faire tourner la tête.

Heureusement, j'ai trouvé un moyen très simple pour réduire le stress et retoucher terre. Comment ? Grâce au système de relaxation BIENETRE. Tous les jours, je passe 20 minutes à faire des exercices de relaxation qui me détendent à la fois sur le plan physique et sur le plan psychologique. Ensuite, je me sens frais et dispos. Les soucis et les problèmes ne me semblent plus aussi insurmontables. Je me sens à l'aise et maître de la situation.

Il est scientifiquement prouvé que la pratique quotidienne de la relaxation est bénéfique pour tout le monde. Médecins et psychologues s'accordent à ce sujet.

Pensez à votre bien-être, renseignez-vous sur notre programme peu onéreux et agréable.

J'aimerais vous envoyer une cassette GRATUITE qui explique le système de relaxation BIENETRE et comporte quelques exemples d'exercices. Essayez vous-même et constatez ses meilleurs effets.

▷ *Imprimez la lettre la tête en bas sur un papier à en-tête pour attirer l'attention.*

Il est temps de remettre le monde à l'endroit. Ne laissez pas passer la chance de découvrir notre cassette GRATUITE, et renvoyez-nous le coupon-réponse dès aujourd'hui !

Cordialement

P.-S. : l'utilisation de BIENETRE au cours de la journée vous assurera un meilleur sommeil. De nombreux insomniaques en ont fait l'expérience !

3 LETTRE A DEUX « CÔTÉS »

Cher —— ,

Cette lettre a deux côtés.

VOICI NOTRE « CÔTÉ ».

VOICI VOTRE « CÔTÉ ».

Votre dernière commande date maintenant de plusieurs mois et nous sommes inquiets.

....
....

Lorsqu'un client fidèle comme vous arrête ses commandes, c'est à la fois un mauvais et un bon signe. Mauvais parce que, appréciant votre amitié et votre clientèle, nous ne souhaitons pas perdre votre confiance. Bon parce que cela nous permet de voir les erreurs que nous avons commises et de les corriger.

....
....
....
....
....
....
....
....

Le succès de notre entreprise dépend entièrement et uniquement de la satisfaction de nos •clients. Si nous avons commis une erreur, nous nous en excusons et espérons que nous pouvons nous rattraper.

....
....
....
....
....

Veuillez utiliser votre « côté » de cette lettre pour nous exposer les raisons exactes de votre silence.

....
....
....

Soyez aussi franc et direct que vous le souhaitez.

....
....

N'attendez pas pour nous envoyer votre « côté ». Plus vite nous recevrons votre réponse, plus vite nous pourrons vous servir. Vous trouverez ci-joint une enveloppe-réponse préaffranchie.

....
....
....
....
....

Cordialement.

....

4 EXEMPLE DE PRÉSENTATION ORIGINALE

Cher —— ,

AVEZ-VOUS
      CONSTATÉ QUE
            LA VALEUR DE VOS
                  INVESTISSEMENTS
                      NE CESSE DE
                        BAISSER
                          BAISSER
                            BAISSER ?

Nous nous engageons à vous ASSURER une croissance régulière pour vos investissements, et un moindre risque pour la réalisation de vos objectifs financiers.

Le cabinet DURAND conseille les investisseurs depuis 1910. Nous étudions le marché à la recherche des opportunités de placement sûr pour votre argent. Notre prudence et notre sens des responsabilités sont le garant d'un avenir assuré.

Actuellement, nous recommandons la souscription à l'emprunt d'état. Ces trois dernières années, cet emprunt a rapporté en moyenne 12 % et les prévisions pour l'année qui vient s'annoncent tout aussi excellentes.

Pour en savoir plus sur cette opportunité ainsi que sur tous nos placements sûrs, contactez-nous dès aujourd'hui.

Cordialement.

P.-S. : que diriez-vous de renverser enfin la tendance de vos placements, à la hausse ?

5 LETTRE AVEC ANNOTATIONS EN MARGE

<u>PERDEZ 2 A 5 KILOS EN 15 JOURS SANS RÉGIME !</u>

Chère amie,

La méthode révolutionnaire FIBRA vous assure une perte de poids rapide et facile.

* Nous parlons d'une <u>méthode</u> et non <u>pas d'un régime</u> car, avec FIBRA, vous n'avez jamais le sentiment d'avoir faim. Votre appétit diminue <u>naturellement</u> et vous mangez moins.

* Pas de régime !

Qui mieux est, la méthode FIBRA est :
* * • Sans aucun danger pour la santé
  • Facile à suivre
  • Peu coûteuse
  • Garantie

** Très important !

Des centaines de personnes ont essayé FIBRA avec succès, tout en conservant une alimentation normale. A votre tour !

Voici quelques témoignages :

* *« La seule méthode qui n'ait jamais marché pour moi »* B. Vincent
* *« J'ai perdu 2 kilos dès la première semaine ! »* R. Cambon
* *« J'ai converti tous mes amis à FIBRA après avoir perdu 4 kilos. »* T. Merlin

Il vous suffit de prendre quatre pilules FIBRA une demi-heure avant les repas. C'est tout !

<u>Premièrement</u>, vous avez moins faim. Votre appétit diminue.

155

*** <u>Deuxièmement</u>, les ingrédients naturels et riches en fibres de FIBRA facilitent le transit intestinal. <u>Les aliments sont digérés deux fois plus vite et votre corps élimine les calories qu'il absorberait en temps normal.</u>

*** *Une méthode scientifique !*

**** Avec FIBRA, vous mangez ce qui vous plaît. Après quelques jours de traitement, vous constaterez que vous n'avez plus envie de grignoter. Vous mangerez moins, et vous contenterez parfaitement de trois repas légers par jour. Vous n'aurez plus <u>envie</u> de manger autant.

**** *Aucune privation !*

Profitez de notre offre spéciale de lancement et recevez une boîte GRATUITE de FIBRA pour la première semaine de traitement.

Si vous commandez dès maintenant vos boîtes de FIBRA pour un traitement d'un mois, vous recevrez GRATUITEMENT notre brochure ainsi qu'une boîte supplémentaire de FIBRA.

Essayez votre échantillon gratuit. Vous serez convaincu de l'efficacité de Fibra.

***** Si, à notre regret, vous ne perdiez pas <u>davantage</u> de poids qu'avant ou que vous n'étiez pas satisfait, il vous suffit de nous retourner le traitement et nous vous en rembourserons le montant total.

***** *Garantie totale !*

Envoyez votre carte-réponse dès aujourd'hui. Dans une semaine, vous commencerez à voir les kilos disparaître.
Cordialement

****** P.-S. : l'été approche, avec FIBRA, offrez-vous la chance de porter un maillot de bain sexy !

***** *Le bonheur de plaire !*

IDÉES PLUS

FORMULES D'INTRODUCTION

L'introduction est l'un des éléments essentiels d'une lettre, car c'est la première chose lue par le destinataire. La liste suivante vous permettra de trouver la meilleure formule pour attirer l'attention de votre interlocuteur :

Cher client fidèle,	Cher Directeur publicitaire,
Cher ami,	Cher entrepreneur,
Cher vacancier,	Cher professionnel de la vente,
Cher ami des bêtes,	Cher donateur,
Cher lecteur,	Cher détaillant,
Cher voisin,	Cher client,
Cher Lyonnais,	Bienvenue
Cher membre,	Bonjour
Cher candidat,	Meilleurs vœux
Cher skieur,	Ci-joint
Très cher ami,	Spécialement pour vous...
Cher client et ami,	Découvrez...
Cher adepte du marketing direct,	Uniquement pour vous...
	Vous êtes invité à ...

MOTS-CLÉ

Ces derniers sont des mots frappants, destinés à attirer et retenir immédiatement l'attention du lecteur :

Désormais	Ultime
Nouveau	Millionnaire
Gratuit	Célèbre
Vient de sortir	Attention
Meilleur	Fait
Percée	Imaginez
Illimité	Géant
Fortune	Véritable
Argent	Ne... Pas

Bonheur
Incroyable
Révolutionnaire
Améliorer
Tout nouveau
Top secret
Confidentiel
Découvrez
Révélation
Cadeau
Sexy
Puissant
Limité
Opportunité
Offre

Stop
Parfait
Facile
Économique
Génial
Fantastique
Important
Affaire
Approuvé
Pratique
Sécurité
Aide
Unique
Rapide
Instantanément

TRANSITIONS EFFICACES

Les transitions sont très importantes dans la rédaction, notamment des mailings, car elles permettent de s'assurer que le destinataire n'interrompt pas sa lecture. Voici quelques suggestions :

La réponse est...
Voici ce qui est arrivé...
En outre,...
Mieux encore !
En voici la raison...
Et plus encore !
C'est vrai !
En d'autres termes,...
De plus,...
Heureusement,...
Dernier point très important,
Sans oublier...
Souhaiteriez-vous en savoir davantage ?

Pour en savoir plus,...
Poursuivez !
Qui plus est,...
Trop beau pour le croire ?
Pensez que...
Tout cela et ... aussi !
Quels en sont les avantages pour vous ?
Que pouvez-vous en retirer ?
Ne me croyez pas sur parole,...
Pourquoi est-ce si important ?
Surtout...
Ce n'est pas tout !
Le plus important...
En renouvelant...

ENTRÉES EN MATIÈRE

La décision de lire ou non une lettre se prend généralement dès les premières lignes. Celles-ci doivent donc être intrigantes ou provocatrices. Voici quelques idées :

- [ ] Pensez quelques instants aux gens qui réussissent autour de vous... qu'ont-ils en commun ?
- [ ] Si vous pensez pouvoir faire fortune en travaillant pour quelqu'un, <u>vous vous trompez royalement !</u>
- [ ] Gagnez plus que vous ne l'avez jamais imaginé.
- [ ] Vous êtes le premier sur 100 000 !
- [ ] Nous attendons toujours votre réponse.
- [ ] Accepteriez-vous 1 000 F de plus par semaine ?
- [ ] Nous vous sommes reconnaissants de l'intérêt que vous portez à notre offre.
- [ ] Que ferez-vous en l'an 2000 ?
- [ ] De quelle sécurité disposerez-vous d'ici 10 ans ?
- [ ] Voici pour vous une opportunité de gagner de l'argent, dont j'aimerais vous parler.
- [ ] Cette information est réservée à quelques privilégiés seulement.
- [ ] Croyez-vous aux miracles ?
- [ ] Réalisez vos rêves les plus fous.
- [ ] Ne lisez pas la suite si vous êtes satisfait de votre revenu actuel.
- [ ] Avez-vous jamais rêvé de devenir propriétaire ?
- [ ] Nous avons réservé pour vous un exemplaire GRATUIT de ...
- [ ] Accordez-nous une minute de votre temps précieux... vous ne le regretterez pas.
- [ ] Il y a maintenant trois semaines que vous m'avez demandé des renseignements sur le financement de votre maison...
- [ ] Notre enquête est terminée et les résultats sont surprenants.
- [ ] Si vous avez plus de 55 ans et ne lisez pas MATURITÉ, êtes-vous sûr d'être bien préparé pour l'avenir.
- [ ] Dépensez 125 F aujourd'hui et gagnez 5 000 F demain.
- [ ] Si vous répondez correctement à la question suivante, vous pourrez faire carrière dans l'informatique.
- [ ] Vous a-t-on jamais dit que vous aviez raté votre vocation ?
- [ ] Vous êtes cordialement invité à joindre le Club de Théâtre du Cercle, à un tarif préférentiel.
- [ ] Vous nous avez été recommandé pour devenir membre de notre club privé.
- [ ] Le bon de réduction ci-joint vous donne droit à 2% de remise sur tous les articles...
- [ ] Jusqu'à maintenant, cette offre était impensable.

- [ ] Choisissez la sécurité financière.
- [ ] Connaissant votre profond désir de réussite, nous vous offrons une formidable opportunité.
- [ ] Avez-vous déjà entendu parler du ... ?
- [ ] Vous nous avez été recommandé par votre ami, Eric Lemoine.
- [ ] Voulez-vous travailler à votre compte ?
- [ ] La question suivante ne connaît qu'une seule réponse.
- [ ] La plupart des gens ne peuvent pas répondre à cette énigme.
- [ ] Il existe quatre secrets pour réussir, et vous en connaissez déjà trois.
- [ ] La fiabilité du service n'appartient pas encore au passé.
- [ ] A cette occasion, nous vous souhaitons une très Bonne Année et vous remercions de votre fidèle clientèle.
- [ ] Votre abonnement arrive prochainement à terme.
- [ ] Je vous ai récemment écrit au sujet d'une opportunité exceptionnelle.
- [ ] N'avez-vous jamais souhaité faire quelque chose de complètement différent ?
- [ ] L'opportunité que vous attendiez s'est enfin présentée.
- [ ] Si j'avais su ce que je m'apprête à vous dire, ma vie aurait été bien différente.
- [ ] Votre Rolls Royce est peut-être actuellement en construction !
- [ ] Soyez le héros de votre entreprise.
- [ ] Rejoignez le cercle privilégié des ...
- [ ] Réalisez enfin vos rêves.
- [ ] Ne lisez pas cette lettre, sauf si ...
- [ ] Nous souhaiterions vous faire bénéficier de ...
- [ ] Vous trouverez ci-joint un numéro d'essai GRATUIT de ..., ainsi qu'une information complète sur notre offre spéciale.
- [ ] Si je vous disais que vous pourriez doubler vos revenus, en investissant une heure seulement de votre temps par soir pendant le mois à venir, me croiriez-vous ?
- [ ] Notre offre exceptionnelle est valable cinq jours seulement.
- [ ] Permettez-moi de vous conter une anecdote qui a changé toute ma vie.
- [ ] Je vous adresse les fiches techniques que vous m'avez demandées.
- [ ] Pouvons-nous parler d'homme à homme (femme à femme) ?
- [ ] Vous avez été sélectionné pour ...
- [ ] Je vous invite personnellement à ...
- [ ] Les trois minutes qu'il vous faut pour lire cette lettre pourraient changer votre vie.
- [ ] Une percée dans la technologie de ... !
- [ ] Vous pouvez être l'un des premiers à découvrir ...
- [ ] Fatigué des ... qui ne marchent jamais ?
- [ ] Etes-vous soucieux de la sécurité de votre famille ?
- [ ] Tout nouveau !
- [ ] Etes-vous homme à prendre des risques ?
- [ ] Voici un ... qui va faire un malheur.

- Etes-vous certain que votre entreprise va surmonter les changements qui s'annoncent ?
- Vous exigez la qualité... Nous vous la garantissons !
- Ne jouez pas avec l'avenir de votre famille.
- Vous vous apprêtez à prendre une décision majeure.
- Le ... que vous attendiez est enfin arrivé !
- Cette question peut vous paraître stupide.
- Puis-je vous demander quelques instants de votre temps précieux ?
- Il vous suffira de 60 secondes pour lire cette lettre.
- Prenez cet extraordinaire ordinateur portable à l'essai GRATUITEMENT pendant 15 jours.
- J'attends votre réponse.
- Il y a maintenant quelques mois que vous vous êtes renseigné à propos du ravalement de votre maison.
- Quel est votre sens des affaires ?
- Si je fais aujourd'hui appel à votre générosité pour 1992, c'est parce que vous nous avez toujours accordé votre soutien.
- Le document confidentiel ci-joint peut changer votre vie.

FORMULES DE CONCLUSION

La conclusion représente votre dernière chance de conclure une vente. Utilisez une formule énergique et dynamique. Le lecteur doit être incité à réagir.

Exemples :

- Compte tenu du nombre limité de ... disponibles, nous vous invitons à réfléchir à cette opportunité dès à présent.
- Surtout ne laissez pas passer une telle chance.
- Offrez-vous dès aujourd'hui la voie du succès.
- Si vous avez d'autres questions, n'hésitez pas à me contacter.
- Vous recevrez votre commande dans les plus brefs délais.
- Vous constaterez que c'est mieux que vous ne l'imaginiez.
- Envoyez votre carte-réponse dès aujourd'hui !
- Faites vite !
- Pour recevoir notre brochure, sans aucun engagement de votre part, il vous suffit de retourner la carte-réponse.
- Je tiens à votre disposition votre cadeau gratuit, mais, pour le recevoir, vous devez agir maintenant.

- [ ] En renouvelant votre abonnement pour deux ans dès maintenant, vous bénéficierez d'une réduction de 90 F, soit quatre numéros GRATUITS.
- [ ] Dans un an, vous serez heureux de l'avoir fait.
- [ ] Croyez-moi, vous serez plus que satisfait.
- [ ] Contactez-nous dès à présent afin d'obtenir une démonstration, sans aucun engagement de votre part.
- [ ] Profitez de cette offre unique.
- [ ] Afin d'accélérer le traitement de votre commande, appelez le numéro suivant ... dès maintenant !
- [ ] Votre réponse sera étudiée dans la plus stricte confidence.
- [ ] Vous avez sept jours pour bénéficier de cette opportunité.
- [ ] Retournez votre bon de participation, il sera immédiatement traité.
- [ ] Vous n'avez rien à perdre et beaucoup à gagner.
- [ ] Ne laissez pas passer cette offre spéciale.
- [ ] Nous nous tenons à votre entière disposition.
- [ ] Nous nous ferons un plaisir de vous servir.
- [x] Nous vous remercions de votre grande fidélité.
- [ ] Je vous promets que vous ne serez pas déçu.
- [ ] Je le garantis personnellement.
- [ ] Vous ne reverrez jamais un ... à un prix aussi bas.
- [ ] Vous vous devez d'essayer.
- [ ] Votre famille l'appréciera certainement.
- [ ] N'hésitez pas à nous contacter, un de nos agents commerciaux se fera un plaisir de vous répondre.
- [ ] Le temps presse, passez votre commande aujourd'hui !
- [ ] Si, pour une quelconque raison, vous n'étiez pas totalement satisfait, retournez le ... et vous serez intégralement remboursé.
- [ ] Avec l'essai d'un mois, vous ne courez aucun risque.
- [ ] N'interrompez pas votre abonnement, renouvelez-le dès aujourd'hui.
- [ ] N'attendez pas pour franchir le pas.
- [ ] Attention, cette offre ne sera pas renouvelée.
- [ ] Essayez-le. Je suis certain que vous en serez ravi.
- [ ] N'oubliez pas, notre garantie annule tous les risques.
- [ ] Pour commencer, il vous suffit de retourner la carte-réponse.
- [ ] Cinq mille personnes ont déjà passé leur commande. Qu'attendez-vous ?
- [ ] Choisissez l'option qui correspond le mieux à vos besoins.
- [ ] Protégez les intérêts financiers de votre famille à l'aide d'un placement judicieux.
- [ ] Ne pensez-vous pas qu'il serait temps de franchir le pas ?
- [ ] Pour toute question d'ordre financier ou fiscal, n'hésitez pas à nous contacter.
- [ ] N'envoyez aucun argent maintenant, vous paierez plus tard.

- [ ] A vous de décider si vous voulez saisir cette formidable opportunité.
- [ ] Si vous n'êtes pas totalement satisfait, inscrivez simplement "annulé" sur votre facture et retournez-la moi.
- [ ] Vous pouvez encore bénéficier de ... si vous agissez maintenant.
- [ ] Vous serez surpris de voir comme il est facile de se l'offrir.
- [ ] Si vous ne vous décidez pas maintenant, vous laisserez passer une excellente opportunité.
- [ ] N'envoyez pas d'argent, vous recevrez la facture plus tard.
- [ ] La décision est entièrement entre vos mains.
- [ ] Composez notre numéro vert. Nos charmant(e)s opérateurs(trices) se feront un plaisir de vous aider.
- [ ] Ne pensez-vous pas que cela vaut la peine de se renseigner ?
- [ ] Commandez maintenant votre exemplaire de ..., avant la date limite du ...
- [ ] N'oubliez pas de commander rapidement afin de bénéficier de nos prix avant la hausse du mois prochain !
- [ ] N'attendez pas. Profitez des avantages du ... dès aujourd'hui !
- [ ] Cette offre exceptionnelle vous est proposée une seule fois, alors commandez sans attendre !
- [ ] Remplissez le bon de commande et envoyez-le dès à présent.
- [ ] Prenez tout de suite la bonne décision.
- [ ] Dans quelques années, vous considérerez que vous avez pris la plus sage des décisions.
- [ ] Cette offre n'est valable que jusqu'à la date mentionnée sur le bon de commande.
- [ ] Pour accélérer le processus, contactez-nous au numéro suivant ...
- [ ] Si, après avoir utilisé votre housse de voiture pendant 15 jours, vous n'êtes pas convaincu, ne tenez aucun compte de la facture et retournez la housse sans rien nous devoir.
- [ ] N'hésitez pas à me contacter, nous discuterons ensemble des moyens qui nous permettront de satisfaire au mieux vos besoins.

LA BIBLIOTHÈQUE TOP ÉDITIONS

- **Collection « management-Création d'entreprise »**

Adair .... **Le leader, homme d'action** *(148 F)*
de Calan .... **Votre patron : diagnostic et mode d'emploi** *(120 F)*
Cliquet .... **Recruter, c'est simple !** *(148 F)*
Armand, Pironin .... **La Bible du créateur d'entreprise** *(185 F)*
Retzler .... **Créez avec succès votre société de services** *(185 F)*
Lockett .... **Diriger, c'est simple !** *(148 F)*
Hebson .... **Réussissez votre carrière de consultant** *(78 F)*
Tardieu .... **La gestion, c'est simple !** *(178 F)*

- **Collection « Comptabilité-Finance »**

Faure .... **La comptabilité, c'est simple !** *(178 F)*
Regnard .... **Lire un bilan, c'est simple !** *(148 F)*
Regnard .... **La finance pour les non-financiers** *(178 F)*
Fratani .... **La gestion dynamique de patrimoine** *(198 F)*

- **Collection « Vente-Marketing »**

Thépaut .... **Êtes-vous fait pour la vente ?** *(148 F)*
Maruani .... **Le marketing, tout simplement** *(178 F)*
Bird .... **Le marketing direct, une affaire de bon sens** *(245 F)*
de Winter .... **Les secrets de la vente par téléphone** *(148 F)*
Denny .... **Vendre, c'est simple !** *(148 F)*
Adams .... **Créer et diriger une équipe de vendeurs** *(198 F)*
Retzler .... **La bible du marketing direct** *(298 F)*
Holmes, Smith .... **Les incentives, techniques de stimulation des ventes** *(98 F)*
Quinn .... **Secrets pour rédiger sa publicité** *(148 F)*

- **Collection « Communication »**

Forgeot, Frotiée .... **La graphologie, arme secrète du recrutement** *(78 F)*
Favreau .... **La communication dans l'entreprise, c'est simple !** *(148 F)*
de Meulemeester .... **Les relations publiques, c'est simple !** *(178 F)*
Giraudy, Soulez .... **Écrire vite et bien en affaires** *(98 F)*
Hall .... **Parler en public, c'est simple !** *(78 F)*
McCann .... **Savoir influencer ses collaborateurs** *(148 F)*
Davey .... **Savoir juger le caractère des autres** *(148 F)*

- **Collection « Développement personnel »**

Giraudy .... **De la prise de notes au compte rendu efficace** *(95 F)*
Atkinson .... **Vaincre le stress, c'est simple !** *(98 F)*
Farrell .... **Gagnez de l'argent à domicile** *(148 F)*
Gourmelin .... **La lecture rapide des doc. éco. et fin.** *(98 F)*
Curran .... **Comment écrire un livre et le faire publier** *(148 F)*

- **Collection « Succès Express »**

Rochelle .... **Modèles de tableaux de bord prêts à l'emploi** *(68 F)*
Dadoun, Lehnisch ...... **Modèles de contrats professionnels prêts à l'emploi** *(75 F)*
Werz .... **Modèles de lettres qui vendent prêts à l'emploi** *(75 F)*
de Menthon, Lehnisch. **Modèles de scénarios de vente téléphonique prêts à l'emploi** *(75 F)*
Dadoun, Lehnisch ..... **Modèles de contrats privés prêts à l'emploi** *(75 F)*
Lancar .... **Modèles de scénarios de vente en face à face prêts à l'emploi***

* *À paraître 1ᵉʳ semestre 1992*

Nombreux autres titres à paraître. Catalogue gratuit sur simple demande.

FDS-TOP Éditions – 121/127, avenue d'Italie – 75013 PARIS

Achevé d'imprimer en mars 1992
sur les presses de l'imprimerie Laballery – 58500 Clamecy
Dépôt légal : mars 1992   Numéro d'impression : 203026

ENTREPRENDRE et REUSSIR

*Chaque mois, DÉFIS
partage votre vie d'entrepreneur
en vous donnant tous
les atouts pour réussir :
comment créer et développer
votre affaire, analyser
les chiffres, maîtriser l'environnement
et surmonter les obstacles.*

CHAQUE MOIS, DÉFIS VOUS DONNE TOUS LES ATOUTS POUR :

GÉRER :

■ Finances, vente, recrutement, organisation... Avec DÉFIS, vous disposez chaque mois de principes simples, clairs et efficaces pour maîtriser tous les aspects de la gestion d'une entreprise. Le "guide gérer" vous informe sur les actualités juridiques, les formalités à accomplir et les services utiles à tout entrepreneur.

RÉUSSIR :

■ A partir d'études de marché et de données chiffrées, DÉFIS analyse pour vous les secteurs à forte potentialité. Le "guide réussir" vous apporte des idées concrètes et utiles et vous informe sur la vie des franchises. Vous disposez ainsi de tous les outils pour aller plus vite et plus loin.

ANTICIPER :

■ Imaginer ce que sera l'entreprise dans trois ans, recenser les opportunités de développement, comprendre votre environnement et vous y adapter... DÉFIS vous donne les moyens de surmonter les obstacles et mettre en œuvre les stratégies de demain pour que votre réussite s'inscrive dans la durée, se concrétise par des parts de marché, se traduise par des profits.

TITRE D'ABONNEMENT PRIVILÉGIÉ

A compléter, à découper et à retourner sous enveloppe, accompagné de votre règlement à : DEFIS - 7, cité Paradis - 75010 Paris

OUI, je désire recevoir DÉFIS pendant :

☐ **1 AN,** soit 11 numéros dont un double ainsi que 2 hors-séries (le guide de la Franchise et le guide de l'Entrepreneur), **au prix exceptionnel de 216 F,** au lieu de 432 F (prix de vente au numéro) **+ les cadeaux DÉFIS.**

☐ J'ai bien noté que je recevrai sans aucun supplément :
mon stylo-plume "Manager" et mon "Pin's DÉFIS".

☐ **6 MOIS,** soit 6 numéros et 1 hors-série au prix de 139 F au lieu de 230 F
Je règle par : ☐ Chèque bancaire ou postal ☐ Mandat lettre à l'ordre de DÉFIS.

☐ Carte Bleue └─┴─┴─┴─┴─┴─┴─┴─┴─┴─┴─┴─┴─┴─┴─┴─┘ expire └─┴─┘ └─┴─┘

Signature obligatoire ▶ └──────────────────────────────────────┘

Nom _____ Prénom _____ Société _____

Adresse _____

Code Postal └─┴─┴─┴─┴─┘ Ville _____

☐ Je désire recevoir une facture acquittée (les frais d'abonnement peuvent être pris en charge par votre Entreprise).

Offre valable en France métropolitaine uniquement. Pour les DOM-TOM et l'étranger, les envois se font uniquement par avion, 311 F pour 1 an et 189 F pour 6 mois. Paiement exclusivement par mandat poste international. RC Paris B 327 977 385

✻ Attention ! Économisez vos frais de timbres ! Si vous libellez votre enveloppe comme indiqué :
DÉFIS - Libre réponse n° 9718 75 - 75482 Paris Cedex 10, vous pouvez la poster sans l'affranchir.